SIRVA PARA VENCER

SIRVA PARA VENCER

A dieta sem glúten para a
excelência física e mental

novak djokovic

generale

Presidente
Henrique José Branco Brazão Farinha
Publisher
Eduardo Viegas Meirelles Villela
Editora
Cláudia Elissa Rondelli Ramos
Tradução
Cristina Sant'Anna
Preparação de texto
Gabriele Fernandes
Revisão
Renata da Silva Xavier
Vitória Doretto
Projeto gráfico de miolo e editoração
Camila Rodrigues
Capa
Casa de ideias
Imagem de capa
Richard Phibbs
Djokovic veste
Uniqlo
Impressão
Assahi Gráfica

Copyright © 2013 *by* Novak Djokovic
Copyright © 2015 *by* Editora Évora Ltda.
Todos os direitos reservados. Nenhuma parte deste livro pode ser traduzida ou transmitida em nenhuma forma ou meio eletrônico ou mecânico, incluindo fotocópia, gravação ou por qualquer sistema de armazenagem e recuperação sem permissão por escrito da editora.
Rua Sergipe, 401 – Cj. 1.310 – Consolação
São Paulo – SP – CEP 01243-906
Telefone: (11) 3562-7814/3562-7815
Site: http://www.editoraevora.com.br
E-mail: contato@editoraevora.com.br

D654s

Djokovic, Novak

[Serve to win. Português]

Sirva para vencer : a dieta sem glúten para a excelência física e mental / São Paulo : Évora, 2013.

200 p. ; 16 x 23 cm.

Tradução de: Serve to win: the 14-day-gluten-free-plan for physical and mental excellence.

ISBN 978-85-63993-90-8

1. Djokovic, Novak – Nutrição. 2. Dieta livre de glúten. 3. Dieta livre de glúten – Receitas. I. Título.

CDD 641.563

Nós vivemos com o que conquistamos, mas nossa vida é feita daquilo que oferecemos aos outros.

–Winston Churchill–

Para minha família e meus amigos,
Meus técnicos e companheiros de equipe que têm trabalhado duro
há muito tempo para tornar meu sonho realidade.
Para Jelena Ristic, que significa tudo para mim.
E para o povo da Sérvia.

Agradecimentos

Minha especial gratidão ao meu editor e colaborador, Stephen Perrine, da Galvanized Brands, por ajudar a transformar a minha mensagem, neste livro, útil e inspiradora.

Também agradeço à Candice Kumai, que criou muitas das receitas que você encontrará neste livro e que compartilha comigo um estilo de vida saudável e livre do glúten.

Às equipes da Galvanized Brands e da Random House, especialmente David Zinczenko, Libby McGuire, Jennifer Tung, Nina Shield, Joe Heroun, Sara Vignieri, e John Mather pelo apoio nesse projeto.

Para Scott Waxman, da Waxman Leavell Literary Agency, e para Sandy Montag e Jill Driban, da IMG, por ajudar a tornar minha ideia uma realidade.

Para o pessoal da American Media e da Men's Fitness, especialmente Andy Turnbull e Jane Seymour, e para Richard Phibbs, fotógrafo, que fez aparecer o meu melhor.

E aos meus fãs, cuja energia é essencial para me manter focado e positivo.

Prefácio

Desempenho humano de ponta: isso foi o que Novak Djokovic conquistou no mundo do tênis. Apenas um grupo seleto atinge esse nível em qualquer área e, para chegar lá é preciso somar o máximo de talento, coragem e determinação – além de superar todos os demais obstáculos.

Esse é o objetivo de todos os esforços humanos – da física quântica à programação de computadores, até ao tênis. Para a maioria de nós, o desempenho de ponta se torna ilusório por causa das barreiras físicas e emocionais colocadas em nossa trajetória, que impedem a realização do grande potencial da mente e do corpo humanos.

Novak Djokovic superou probabilidades desafiadoras para ocupar seu lugar de destaque na história do tênis. Ele lutou para conquistar experiência técnica na Sérvia, um país onde o tênis era praticamente desconhecido. Manteve sua exigente disciplina de treinos enquanto sua cidade natal, Belgrado, estava sitiada durante a Guerra do Kosovo, e sua família refugiava-se em um abrigo antibombas por meses a fio. E, ainda assim, apesar de todos os obstáculos que teve que superar, um adversário quase derrotou o campeão. Este adversário era o trigo moderno.

Assistindo-o jogar a quarta de final do Australian Open, em 2010, contra Jo-Wilfried Tsonga, era impossível não perceber que algo impedia Djokovic de se manter à frente na partida: um lance medíocre aqui, a perda de milésimos de segundo ali, um estremecimento em uma resposta mais dura e, no quarto *set*, um atendimento médico em que ele visivelmente mostrava seu desconforto abdominal. O resultado foi a derrota depois de várias horas de luta. A final do Australian Open, em 2012, contra Rafael Nadal, foi uma história completamente diferente: Djokovic estava tranquilo, confiante e no controle do jogo – em uma única palavra, brilhante. Como essa transformação foi possível? Simples. Djokovic removeu as barreiras para o desempenho físico e mental de ponta, fazendo exatamente o oposto do que a nutrição convencional repetidamente nos aconselha: ele retirou os "saudáveis grãos integrais" da sua dieta.

Como resultado, ele venceu três Grand Slam em 2011 (Australian Open, Wimbledon e US Open), surpreendeu ganhando 50 de 51 torneios disputados ao longo de 12 meses e conquistou o primeiro lugar no *ranking* mundial do tênis masculino. Seu desempenho naquele ano assombrou, inclusive, os melhores jogadores, levando Rafael Nadal a declarar que o jogo de Djokovic representava "o mais alto nível de tênis que eu jamais vi antes".

Como a eliminação de um elemento onipresente na dieta humana – o trigo é encontrado em praticamente todas as comidas processadas – catapultou o desempenho de um atleta a um novo patamar, possibilitando-o expressar todo seu potencial físico e mental? Essa é exatamente a questão a que dediquei os últimos anos de minha carreira, entender por que o trigo moderno, um produto da manipulação genética e do agronegócio, pode prejudicar o desempenho físico e mental, independentemente de o indivíduo possuir talento, habilidade e foco.

Tenho visto isso ocorrer com frequência surpreendente. O trigo moderno é capaz de arruinar a saúde digestiva, causando distúrbios que vão desde o refluxo ácido até a colite ulcerativa e outras formas de desconforto abdominal. Pode causar inflamações (rigidez articular e dor) e até condições autoimunes (artrite reumatoide e tireoidite de Hashimoto). Também pode disparar ou agravar quadros psiquiátricos como paranoia e esquizofrenia, além de desencadear explosões comportamentais e deficiências de aprendizagem em crianças com transtorno do espectro autista. Por seu efeito estimulador do apetite, o trigo moderno pode ainda causar ganho de peso, especialmente no abdome, fazendo engordar até mesmo atletas que passam horas em treinamento. É capaz de prejudicar o desempenho esportivo por provocar essas e muitas outras condições, culminando com "confusão" mental, fadiga e distorções do equilíbrio hormonal, acionando, finalmente, uma montanha-russa física e emocional que pode derrotar qualquer um a qualquer momento.

E isso foi o que derrotou o senhor Djokovic na partida contra Tsonga em 2010 – um jogo que ele sabia que poderia ter vencido.

Como pai de uma filha que é tenista profissional, eu posso apreciar a extraordinária dedicação de tempo e esforço para escalar o *ranking* mundial até o topo. Entre todos os desafios que devem ser enfrentados para atingir o alto desempenho físico e mental, como um simples erro nutricional pode se tornar um obstáculo? Porque a ingestão de trigo tem sido o padrão, mesmo entre os melhores atletas mundiais, mas esse alimento tem o potencial de detonar a performance, nublar o foco mental e fazer um campeão cair de joelhos.

Estamos na nova era do desempenho esportivo. De fato, uma nova era que nos transforma em todas as esferas da vida, rejeitando o conselho habitual para consumir mais "grãos integrais saudáveis". A experiência do senhor Djokovic é perfeitamente consistente com o que tenho observado em centenas de milhares, talvez milhões, de pessoas que seguiram a recomendação de cortar qualquer traço de trigo de suas dietas: melhorias surpreendentes na saúde e no desempenho diário.

Estou emocionado que uma figura pública notável como Novak Djokovic, alguém admirado e da confiança de milhões de fãs do tênis, tenha decidido falar sobre essa questão, oferecendo um exemplo vitorioso do que pode ser alcançado com muito engajamento e trabalho árduo somados à genuína vontade de maximizar o desempenho com sua dieta.

Dr. William Davis
www.wheatbellyblog.com
Autor do primeiro lugar na lista dos best-sellers do New York Times, Barriga de Trigo: livre-se do trigo, livre-se dos quilos a mais e descubra seu caminho de volta para a saúde e também do livro Sem trigo, sem barriga.

Sumário

Introdução. a dieta que me transformou 17
Capítulo 1. reveses e abrigos antibomba 31
Capítulo 2. o doce sabor da vitória 41
Capítulo 3. ao abrir minha mente, mudei meu corpo 53
Capítulo 4. o que prejudica seu desempenho? 63
Capítulo 5. menu da vitória 85
Capítulo 6. treinamento mental 109
Capítulo 7. treinamento físico 125
Capítulo 8. o prato do campeão 137
Posfácio 181
Apêndice. o guia da boa comida 187

Introdução

A DIETA QUE ME TRANSFORMOU

Da beira do fracasso a campeão do mundo – em 18 meses

INTRODUÇÃO

Quando, finalmente, estava chegando ao topo, caí no fundo do poço. Eu tinha 19 anos, era um garoto desconhecido de um país devastado pela guerra que, de repente, estourou na cena profissional. Estava em uma sequência de nove vitórias e pronto para assumir a liderança na rodada final do Croatia Open de 2006. A audiência do estádio estava do meu lado; minha equipe torcia por mim.

E, mesmo assim, eu não conseguia ouvi-los. Tudo o que podia ouvir era um zumbido forte na cabeça. Tudo o que podia sentir era dor. Algo mantinha meu nariz fechado, um abraço de urso apertava meu peito e parecia que eu tinha concreto prendendo minhas pernas.

Olhei pela rede para meu oponente, Stanislas Wawrinka. Olhei para os camarotes onde minha mãe estava sentada. E, então, de repente, a gravidade me puxou para o chão de saibro vermelho, e eu estava olhando para o céu aberto da Croácia com um peso sobre o peito. A Maldição – a força misteriosa que esgotava minha energia sem aviso – havia se agarrado a mim mais uma vez.

Não importava quão forte eu respirasse, o ar não entrava.

Meu pai, Srdjan, entrou correndo na quadra e, com um médico, levantou-me pelos braços e me sentou na cadeira. Olhei para minha mãe, soluçando no camarote e entendi. Esse torneio estava acabado para mim. Talvez estivesse acabando também o sonho da minha vida.

A maioria das pessoas não decide o que quer da vida aos 6 anos, mas eu decidi. Treze anos antes, sentado na pequena sala de estar da pizzaria dos meus pais na remota cidade montanhesa de Kopaonik, no interior da Sérvia, eu vi Pete Sampras vencer em Wimbledon, e soube: um dia, seria eu.

Eu nunca havia jogado tênis. Ninguém que eu conhecesse jogava tênis. Na Sérvia, o tênis era um esporte obscuro como, vamos dizer, esgrima. E o glamour de Londres estava tão distante de mim quanto se possa imaginar naquela pequena cidade turística em que minha família vivia. Apesar disso, naquele exato momento, eu descobri o que mais queria na vida: queria erguer a taça de Wimbledon sobre minha cabeça, ouvir a plateia comemorar e perceber que havia me tornado o número 1 do tênis mundial.

Meus pais me deram uma pequena raquete multicolorida e algumas bolas ocas quando tinha quatro anos, e eu passava horas me distraindo, batendo as bolas contra as paredes da pizzaria. Mas, a partir do momento em que vi Sampras naquele dia, eu sabia. E pelos próximos treze anos da minha vida eu dediquei cada dia para atingir esse objetivo. Minha família, que fez incontáveis sacrifícios; meus amigos, que me apoiaram desde o início; meus treinadores, técnicos e fãs — todos eles se uniram para me fazer chegar o mais perto possível do meu sonho.

Havia, porém, algo em mim que não ia bem, não combinava, não estava saudável. Alguns chamam isso de alergia; outros, de asma; alguns apenas dizem que você está fora de forma. Mas não importa como chamem, ninguém sabia como curar aquilo.

Não foi a primeira vez que eu entrei em colapso durante um grande torneio. Um ano antes, posicionado no 153º lugar no ranking mundial, eu choquei o oitavo colocado, Guillermo Coria, vencendo o primeiro set de nossa partida em minha primeira aparição no French Open. Mas, no terceiro, minhas pernas viraram pedra, não conseguia respirar e eu, finalmente, desisti do jogo. "Obviamente, ele ficou logo cansado", Coria observou depois. "Quando você está em forma, tem que ser capaz de jogar uma partida longa em clima quente."

Três meses mais tarde, na rodada de abertura do meu primeiro US Open, jogando contra Gael Monfils, eu literalmente desmontei em quadra. Deitei de costas no chão como uma baleia encalhada na praia no calor úmido de quase 30 graus, lutando para respirar e aguardando a chegada do treinador. Depois de quatro intervalos embaraçosos como este, eu dei um jeito de conseguir vencer, mas fui vaiado em quadra. Minha falta de preparo físico foi o assunto do torneio. "Talvez ele tenha que fazer algumas mudanças", sugeriu Monfils.

Eu tentei. No atual cenário do tênis profissional, a mais leve mudança em seu nível de habilidades, sua condição física ou foco mental faz toda a diferença. Eu treinava toda manhã e toda tarde, levantava peso, andava de bicicleta ou corria todo santo dia. Não fazia o menor sentido estar fora de forma.

Mudei preparadores físicos, em busca de um treinamento diferente. Troquei técnicos, achando que algo em minha técnica poderia me livrar daquela maldição. Fiz uma cirurgia nasal, esperando poder respirar mais livremente. Cada mudança ajudou um pouco; temporada a temporada, eu me tornei um pouco mais forte e um pouco mais preparado fisicamente. Em 2007, me tornei o segundo jogador a conseguir derrotar Roger Federer e Rafael Nadal, desde que eles haviam subido ao topo do ranking.

Apesar de ser um grande passo na direção do meu sonho, eu sentia como se uma forte corda estivesse em volta do meu peito, me puxando para trás. O tênis profissional é um contínuo com uma temporada de 11 meses de duração. Então, para ser consistente nos resultados, a chave é conseguir se recuperar rapidamente entre uma partida e outra. Mas eu vencia um torneio e entrava inesperadamente em colapso no seguinte; vencia um set épico e depois pedia para sair no meio do seguinte.

Talvez meu problema não fosse físico, mas mental: fiz meditação e, então, ioga, tentando acalmar minha mente. Meu treinamento tornou-se obsessivo: catorze horas por dia todos os dias. Eu não fazia nada além de manter o foco na melhoria do meu jogo físico e mental. Com esse processo, eu me tornei um dos dez melhores tenistas do mundo.

Só que eu tinha um sonho que não era ser *um dos* melhores. Havia dois homens no mundo que eram os melhores – Federer e Nadal – e, para eles, eu não passava de um aborrecimento ocasional, alguém que podia desistir a qualquer momento quando o jogo ficasse duro para valer. Esses dois caras eram a elite; eu estava lá em algum lugar da segunda divisão.

Ganhei meu primeiro Grand Slam, o Australian Open, em janeiro de 2008 – um grande avanço. Mas, no ano seguinte, contra Andy Roddick, eu, mais uma vez, tive que me retirar do torneio. Era a defesa do título, e eu desisti? O que estava errado comigo? "Cólica, gripe aviária, antraz, pneumonia asiática, tosse comum, resfriado", Roddick disse sobre mim, rindo do fato de eu ficar doente com muita frequência. Até mesmo Federer, que costuma ser tão calmo e educado, fez pouco de mim ao falar aos repórteres: "Acho que ele é uma piada, sabe? Quando se fala sobre suas doenças."

No final de 2009, eu até mudei minha quadra de treino para Abu Dhabi, na esperança de que a prática diária naquele calor escaldante pudesse me preparar melhor para o Australian Open em Melbourne. Quem sabe me aclimatando melhor, eu conseguisse vencer aquela maldição.

Em um primeiro momento, parecia que eu havia encontrado a solução. Em 27 de janeiro de 2010, eu havia chegado à quarta de final do Australian Open, conquistando as vitórias sobre meus adversários com relativa facilidade. Do outro lado da rede na quarta de final, estava Jo-Wilfried Tsonga, o décimo colocado no ranking mundial. Eu era o número três. Dois anos antes, eu o havia derrotado naquela mesma quadra a caminho de vencer meu primeiro torneio Grand Slam com 21 anos de idade. E, agora, eu tinha que ser tão bom quanto. Não, melhor.

Tsonga pesa 90 quilos de puro músculo e é um dos maiores e mais fortes jogadores de tênis; seu serviço chega a 225 quilômetros por hora. Quando ele coloca o peso do corpo em uma resposta, a bola volta "forte" com uma combinação de velocidade e efeito que a faz quicar mais alto (topspin). Parece que a bola vai arrancar a raquete da sua mão. Além disso, ele se movimenta com grande rapidez na quadra. Naquele dia, com sua camiseta amarelo néon, ele parecia tão grande e tão incansável quanto o sol. Venceu o primeiro set por 7/6, depois da decisão em um tiebreak cruel que fez a audiência se erguer várias vezes da cadeira.

No segundo set, minha preparação obsessiva finalmente começou a fazer efeito. Eu ganhei por 7/6 e, então, comecei a controlar Tsonga, fazendo-o correr para frente e para trás. Nas partidas simples, a quadra tem 8,23 metros de lado a lado e eu podia cobrir essa distância tão bem quanto qualquer outro.

Venci o terceiro set com facilidade por 6/1. Eu o tinha nas mãos.

E, de repente, aquilo aconteceu de novo. Com Tsonga à frente por 1/0 no quarto set, a força invisível me atacou. Eu não podia respirar. Quando ele foi dar o próximo saque, algo subiu pela minha garganta; eu implorei ao juiz de quadra por um intervalo para poder ir ao banheiro. Não queria que meu oponente visse o que eu ia fazer.

Eu corri para o vestiário, quase arrombei um banheiro e caí de joelhos. Segurando o vaso sanitário pelas laterais, meu estômago em espasmos, sentia como se estivesse vomitando toda minha força.

Quando retornei à quadra, eu era um jogador diferente.

Tsonga sabia que meu corpo não estava aguentando e, controlando o serviço, ele me fazia correr para frente e para trás na quadra como um brinquedo. Percebi que a plateia ficou a favor dele e seus saques ficaram mais rápidos e mais pesados – ou talvez eu estivesse mais lento e mais fraco. Era tão duro quanto se eu estivesse jogando contra um gigante. Mais de uma vez, seus lances deixaram meus pés paralisados sobre o duro chão azul da quadra; eu simplesmente não conseguia movê-los. Ele venceu o quarto set por 6/3.

No início do quinto *set*, estava claro para todo mundo no estádio como aquela partida iria terminar. Com o serviço em 0/40 e Tsonga na frente por 3/1, eu chegara ao ponto mais baixo da minha carreira. Era o ponto de quebra de saque (break point), talvez "quebra" em mais de um sentido.

Eu tinha que dar um saque perfeito, tirá-lo de equilíbrio e recobrar algum controle. Para haver uma chance de voltar a lutar, eu precisava que esse saque fosse o melhor entre as centenas de milhares que já dera ao longo da vida.

Uma, duas batidas no chão. Joguei a bola no ar. Tentei estender meu tronco ao máximo, mas meu peito inteiro estava comprimido. Era tão difícil como se estivesse erguendo o martelo de Thor ao invés da minha raquete de tênis.

Meu corpo estava quebrado.

Falta.

Minha mente estava quebrada. Uma, duas batidas no chão. Saque.

Falta dupla.

Game, Tsonga.

O fim chegou rápido e misericordioso como uma execução. Depois de apertarmos as mãos no meio da quadra, ele dançou em volta do estádio, incitando a audiência, cheio de força e energia. Eu estava esgotado. Dezessete anos de treinamento a cada santo dia e eu ainda não me sentia física e mentalmente forte o bastante para estar na mesma quadra com os melhores do tênis.

Eu tinha as habilidades, o talento e o foco. Tinha os recursos para tentar todo tipo de treinamento físico e mental até então conhecidos e para ter acesso aos melhores médicos do mundo. O que estava realmente me puxando para trás era algo que eu jamais suspeitara. Eu estava treinando e me preparando corretamente.

Mas estava me alimentando completamente errado.

A dieta que mudou minha vida

Meu nível profissional mais baixo foi aquela dupla falta em 27 de janeiro de 2010.

Apesar disso, em julho de 2011 – somente 18 meses depois – eu era um homem diferente. Cinco quilos mais magro, mais forte do que nunca e mais saudável do que fora na primeira infância, eu conquistei meus dois objetivos: venci Wimbledon e fui classificado como o número 1 no tênis mundial. Quando vi a última e desesperada bola de Rafael Nadal cair no chão e me passar a taça em Wimbledon, eu me vi como um menino de 6 anos novamente, aquele que veio do nada, inocentemente aspirando a um sonho impossível.

Caí no chão. Joguei minhas mãos para o alto. Abaixei, arranquei um pouco da grama da quadra de Wimbledon e comi.

Tinha sabor de suor. Meu suor. Nunca experimentara nada tão doce.

Não foi um programa de treinamento que me transformou de um dos melhores jogadores no melhor tenista do mundo em apenas 18 meses. Não foi uma nova raquete, um novo exercício, um novo treinador e nem mesmo um novo saque que me ajudou a perder peso, encontrar foco mental e desfrutar a melhor saúde da minha vida.

Foi uma nova dieta.

Minha vida mudou porque passei a comer os alimentos corretos para o meu corpo da maneira que ele pedia. Nos primeiros três meses da nova dieta, eu passei de 82 para 78 quilos – minha família e meus amigos chegaram a ficar preocupados, imaginando que eu estava ficando magro demais. Mas eu me sentia renovado, mais alerta e cheio de energia do que nunca em minha vida. Estava mais rápido, mais flexível e capaz de pegar as bolas que outros jogadores não conseguiam, além disso, estava mais forte do que nunca e meu foco mental tornara-se inabalável. Nunca me sentia cansado ou sem fôlego. Minhas alergias diminuíram; minha asma desapareceu; meus medos e dúvidas foram substituídos por confiança. Não tive um resfriado ou gripe mais séria durante cerca de três anos.

Alguns cronistas esportivos disseram que minha temporada de 2011 foi a melhor de um tenista profissional em um único ano. Eu conquistei três títulos, três Grand Slams e venci 43 partidas consecutivas. E a única mudança foi no que estava comendo.

O que mais me surpreende é que essas mudanças foram fáceis de fazer, mas os resultados foram drasticamente positivos. Tudo o que fiz foi eliminar o glúten – a proteína encontrada no trigo – por alguns dias e meu corpo sentiu-se melhor instantaneamente. Fiquei mais leve, mais rápido, com a mente e o espírito mais claros. Depois de duas semanas, sabia que minha vida havia se transformado. Fiz mais dois truques – cortei o açúcar e também os derivados do leite – e posso dizer que no momento de acordar a cada manhã eu estava diferente, talvez melhor do que na infância. Eu saltava da cama, pronto para enfrentar o dia que estava para começar. E percebi que tinha que compartilhar o que eu aprendi com os outros.

Você não precisa ser um atleta profissional para fazer os simples ajustes nutricionais apresentados neste livro e, com certeza, não precisa ser um tenista profissional para sentir as melhorias no seu corpo, na sua saúde e na sua perspectiva de vida.

Na verdade, o que vou compartilhar não é uma dieta no sentido mais estrito da palavra, porque isso implicaria que você passaria a comer somente aqueles alimentos que eu recomendaria. Isso não faria sentido. A maioria dos programas de dieta assume que o mesmo plano funciona para todo mundo e que você "precisa" comer determinados alimentos – seja um tenista de 27 anos, uma mãe de 35 anos com dois filhos ou um vice-presidente executivo de 50 anos. Isso é tolice. "Precisa" não é uma das melhores palavras. Seu corpo é uma máquina completamente diferente da minha. Olhe para a ponta de seus dedos: suas impressões digitais são diferentes das de todas as pessoas do mundo. Isso é prova de que todo seu corpo é diferente de todos os outros do mundo. Eu não quero que você siga a melhor dieta para *o meu corpo*. Vou lhe mostrar como encontrar a melhor dieta para seu próprio e exclusivo corpo.

Pequenas mudanças, grandes resultados

Se você se exercita para entrar em forma, controlar o peso e melhorar o nível de energia, provavelmente, já descobriu algo: isso é realmente difícil.

Sou prova disso. Ao longo de toda minha carreira, eu joguei tênis de três a cinco horas quase que diariamente. Eu disputei nada menos do que 97 partidas de tênis profissional por ano, competindo contra os melhores do mundo. Nos dias em que não estava jogando, ainda assim eu praticava na quadra por mais de três horas, fazia condicionamento físico por outros 90 minutos na sala de musculação, tinha sessões de ioga ou *tai chi* e, quando podia, corria, andava de bicicleta ou remava meu caiaque. E, apesar de todo esse cronograma de treinamento, eu me sentia pesado, ficava facilmente sem fôlego e estava com um pouco de sobrepeso. Minha questão é, se você acredita que os exercícios físicos vão acabar com seus problemas, deve pensar melhor no assunto. Eu treinava, pelo menos, cinco horas por dia, todos os dias, e ainda assim não estava suficientemente em forma. Eu carregava quase cinco quilos a mais por que não estava me exercitando o bastante?

Não. Eu estava pesado, vagaroso e cansado porque estava me alimentando como a maioria de nós faz. Eu comia como um sérvio (e um norte-americano) – com muita massa italiana como pizza, macarrão e especialmente pão, além de pratos pesados de carne, pelo menos, duas vezes por dia. Eu lambiscava barrinhas adocicadas ou outros alimentos com açúcar durante as partidas, acreditando que ajudariam a manter minha energia em alto nível e acabei descobrindo que meus horários de treino rendiam sempre uma mão cheia de doces de cada carrinho que passava vendendo gulodices. Mas o que eu não percebia é que essa forma de alimentação causa um fenômeno chamado inflamação. Basicamente, seu corpo reage aos alimentos de que não gosta, enviando sinais: congestão, dor nas articulações e desconforto gástrico e digestivo. Além disso, os médicos já correlacionaram essa inflamação a diversas doenças – de asma a artrite, doenças cardíacas e Alzheimer.

Imagine que você está martelando um prego em uma tábua de madeira e, acidentalmente, acerta seu dedão. Dói, não é? Seu dedão fica inchado, vermelho e dolorido. Isso é inflamação. Agora imagine que o mesmo aconteça dentro do seu corpo onde você não pode ver. É exatamente o que ocorre quando comemos alimentos que nossos corpos não gostam. Quando desmoronei no Australian Open, meu corpo me dizia que eu estava me surrando e me virando pelo avesso.

Tive que aprender a ouvi-lo.

Assim que consegui, tudo mudou. E não falo apenas sobre minha carreira de tenista. Minha vida inteira mudou. Eu poderia dizer que foi mágico – com certeza parece magia. Mas tudo girou em torno de experimentar novos alimentos e descobrir aqueles que me fazem bem, passando a aplicar esse conhecimento em minha dieta diária.

Resultado: descobri quais alimentos me fazem mal e quais me ajudam. Não é tão difícil assim; vou mostrar a você (veja o Capítulo 4).

Quando souber quais são os alimentos certos, como usá-los na sua alimentação diária e como tirar o máximo de benefício deles, terá em mãos o mapa para reconstruir seu corpo e sua vida.

É assim que funciona: primeiro, você corta o glúten da sua dieta por duas semanas (é mais fácil do que você imagina, como você vai ver mais adiante nesse livro). Em seguida, você deve eliminar o excesso de açúcar e os laticínios da sua dieta por duas semanas para ver como se sente (um palpite: vai se sentir ótimo!).

Mas comer alimentos diferentes não é o fim dessa dieta. Você também vai aprender a mudar *o seu jeito* de comer. Aprenderá a sincronizar a ingestão de alimentos com as necessidades de seu corpo, oferecendo a ele exatamente o que ele quer e quando ele quer. Além disso, vai aprender também como a combinação da dieta certa com as técnicas de controle de estresse vai ajudar a melhorar as suas funções físicas e mentais. Assim, vai se tornar mais relaxado, mais focado e ter maior controle de sua própria vida.

Na verdade, o que realmente me inspirou a escrever esse livro é saber que posso mostrar a você como mudar não apenas seu corpo, mas toda sua experiência de vida – em apenas 14 dias. Você vai levantar mais disposto e se sentindo com mais energia, além de notar também diferença na sua aparência. Logo você será capaz de ouvir seu corpo, seguir os apelos dele e compreender aquilo que ele pede para você evitar.

Não se engane: o seu corpo lhe dará informações diferentes do que o meu me dá. Todos nós somos diferentes – temos diferentes impressões digitais, lembra? Mas o ponto mais importante é aprender a ouvir o próprio corpo.

Naquele dia em janeiro de 2010, os comentaristas de tênis acharam que sabiam o que estava acontecendo comigo. "A asma dele está voltando a atacar", eles afirmaram. Naquele momento, tendo cometido uma dupla falta na rede, incapaz de respirar, eu certamente não podia saber que o que estava ocorrendo era muito diferente.

Desde os 13 anos de idade eu me sentia constantemente sufocado, especialmente à noite. Eu acordava confuso e cambaleante e demorava algum tempo para me recuperar. Estava cansado. Sentia meu corpo inchado, mesmo quando treinava três vezes por dia.

Como tinha alergias, nos dias mais úmidos e quentes ou quando as flores desabrochavam, tudo aquilo ficava ainda pior. No entanto, nada do que estava acontecendo fazia sentido. A crise de asma ataca assim que você começa a se exercitar; não depois de três horas de uma partida difícil. E meu problema também não podia ser o condicionamento físico. Eu treinava tão forte quanto qualquer outro atleta do circuito. Apesar disso, nas principais partidas contra os melhores tenistas, eu me segurava nos primeiros sets e depois entrava em colapso.

Mas eu não era um hipocondríaco ou um asmático e nem um atleta que apenas se acovardava quando o jogo ficava muito duro. Eu era um homem que estava se alimentando da maneira errada. E minha vida estava prestes a mudar. Quem diria que o mais baixo degrau da minha carreira poderia se transformar na minha sorte?

Por uma feliz coincidência, um nutricionista da Sérvia, meu país natal, doutor Igor Cetojevic, estava zapeando a televisão em sua casa no Chipre, quando viu minha partida no Australian Open. Ele não é fã de tênis, mas sua esposa gosta do jogo e sugeriu que os dois sentassem para assistir à partida. E eles me viram entrar em colapso em quadra.

Ele sabia que não era asma. Não era isso que estava errado comigo. E, na opinião dele, era minha alimentação. Mais especificamente, ele percebeu que meus problemas respiratórios eram resultado de um desequilíbrio no sistema digestivo, o que provocava um acúmulo de toxinas nos intestinos. O que era um baita diagnóstico, especialmente quando feito a quilômetros de distância do paciente.

O doutor Cetojevic e meu pai têm amigos em comum – afinal, a Sérvia é um país pequeno – e, seis meses após a minha desgraça na Austrália, nós combinamos de nos encontrar durante uma partida da Taça Davis na Croácia. O doutor Cetojevic me disse que a sensibilidade a alguns alimentos não era apenas a causa do meu colapso físico, mas também estava prejudicando meu estado mental como um todo. Garantiu que daria as diretrizes para me ajudar a criar minha própria dieta – a dieta correta para o meu corpo. Perguntou como eu comia, como dormia, como vivia e como tinha crescido.

    Sendo um conterrâneo sérvio, o doutor Cetojevic podia entender mais do que ninguém como tinha sido o início da minha vida – o que minha família possuía, o que nós perdemos, o que tivemos que lutar muito para superar. Um garoto como eu, crescendo na Sérvia, poderia ser um campeão do tênis? Era bem pouco provável mesmo nas melhores circunstâncias.

    E se tornou ainda mais improvável quando as bombas começaram a cair.

Capítulo 1

Reveses e abrigos antibomba

Nem todo tenista campeão é forjado
nos clubes de milionários

Um estrondo enorme chacoalhou a minha cama, e o barulho de vidro estilhaçado parecia vir de todos os cantos ao meu redor. Abri os olhos, mas não havia quase nada para mudar minha perspectiva. O apartamento inteiro estava mergulhado na mais absoluta escuridão.

Outra explosão e, então, como se também tivessem sido acordadas com o choque, as sirenes do ataque aéreo dispararam, e o negrume da noite tornou-se ainda mais negro com seus gritos.

Era como se estivéssemos vivendo dentro de um globo de gelo e alguém o tivesse atirado no chão.

"Nole! Nole!" Meu pai gritou por mim, usando meu apelido familiar desde que eu era menino. "Seus irmãos!" Minha mãe, saltando da cama com o estrondo da explosão, havia caído de costas e batido a cabeça contra o aquecedor. Meu pai tentava ajudá-la, enquanto ela lutava para recuperar a consciência. Mas onde estavam meus irmãos?

Marko tinha 8 anos. Djodje, 4. Com 11 anos, eu era o irmão mais velho e havia assumido a responsabilidade de mantê-los em segurança desde que as forças da OTAN começaram a bombardear minha cidade natal, Belgrado.

Os bombardeios foram uma surpresa para nós. Durante a minha infância, a Sérvia ainda era administrada como uma ditadura comunista e pouquíssimas informações sobre o que estava realmente acontecendo chegavam à opinião pública. Havia rumores de que a OTAN poderia atacar, mas ninguém tinha certeza. Mesmo que nosso governo estivesse se preparando para os bombardeios, nós éramos mantidos desinformados.

Mesmo assim, como os rumores haviam se espalhado e tal como a maioria das famílias de Belgrado, nós tínhamos um plano. A 300 metros de casa, a família de minha tia morava em um prédio com abrigo antibomba. Se pudéssemos chegar até lá, estaríamos seguros.

Outro guincho alto soou sobre nossas cabeças, e outra explosão chacoalhou nosso prédio. Minha mãe havia recuperado os sentidos, e nós corremos desabalados escada abaixo, chegando às ruas de Belgrado, todas sem luz. A cidade estava totalmente às escuras e com as sirenes gritando alto, nós mal podíamos ver ou ouvir. Meus pais correram pelas ruas negras com meus irmãos em seus braços, e eu estava logo atrás deles – até que não estava mais. Meu pé tropeçou em algo e despenquei dentro da escuridão.

Eu bati meu rosto com violência no chão e arranhei minhas mãos e meus joelhos. Estatelado no concreto gelado, de repente, eu estava sozinho.

"Mamãe! Papai!" Eu gritei bem alto, mas eles não podiam me ouvir. Eu vi os corpos deles ficando menores e escurecendo, desaparecendo dentro da noite.

E, então, aquilo aconteceu. Por trás de mim, ouvi algo rasgando o céu como se uma enorme pá de neve estivesse raspando o gelo das nuvens. Ainda pregado no chão, eu virei e olhei para nossa casa.

Surgindo do alto do nosso prédio vinha o acinzentado triângulo de aço de um avião bombardeiro F-117. Olhei horrorizado quando sua enorme barriga metálica se abriu exatamente sobre mim, despejando dois mísseis guiados por laser cujo alvo era minha família, meus amigos, meus vizinhos – tudo que eu conhecia até então.

O que aconteceu a seguir eu jamais consegui esquecer. Mesmo hoje, os sons muito altos ainda me enchem de terror.

O encontro mais improvável

Antes dos bombardeios da OTAN, minha infância foi mágica.

Há magia em todas as infâncias, mas a minha parece ter sido especialmente abençoada. Fui abençoado naquele dia em que vi Pete Sampras vencer em Wimbledon e preparei meu coração para seguir os passos dele. Mas, ainda mais abençoado, quando, naquele mesmo ano, o inconcebível aconteceu: o governo decidiu construir uma academia de tênis na pequena cidade turística de Kopaonik do outro lado da rua em que meus pais gerenciavam a pizzaria Red Bull.

Kopaonik era uma estância de esqui, mas também onde meus pais veraneavam para escapar do calor de Belgrado. Minha família sempre foi atlética – meu pai competia em esqui –, e nós também gostávamos muito de futebol. Mas aquela superfície de grama macia das quadras de tênis era bem pouco familiar.

Como já disse, ninguém que eu conhecia jogava tênis. Ninguém que eu conhecia jamais tinha ido assistir a uma partida de tênis pessoalmente. Este simplesmente não era um esporte que os sérvios prestassem muita atenção. Portanto, o fato de que quadras de tênis fossem construídas em algum lugar do país já era notável; ainda mais sendo construídas do outro lado da rua em que eu passava os verões. Alguma força maior, com certeza, estava em ação.

Quando as aulas começaram, eu ficava em pé ao lado da grade, segurando a corrente, olhando os alunos jogarem por horas. Havia algo no ritmo e na sequência do jogo que me transfixava. Finalmente, depois de observar por vários dias meu interesse, uma mulher veio em minha direção. Seu nome era Jelena Gencic e ela era a técnica da academia. Ela também fora uma tenista profissional e já havia sido técnica de Monica Seles.

"Você sabe o que é isso? Quer jogar?" ela me perguntou. "Volte amanhã e vamos ver."

No dia seguinte, eu apareci com uma sacola de tênis. Dentro dela havia tudo de que um profissional precisa: raquete, garrafa de água, toalha enrolada, camiseta extra, faixas de pulso e bolas, tudo muito bem arrumado na sacola.

"Quem arrumou a sacola para você?" Jelena quis saber.

Eu me senti insultado. "Eu mesmo", respondi reunindo todo meu orgulho aos seis anos de idade.

Em poucos dias, Jelena começou a me chamar de seu "garoto dourado". Ela disse aos meus pais: "Ele é o maior talento que já conheci desde Monica Seles." E fez do meu desenvolvimento pessoal a sua missão.

Todos os dias depois da escola, eu ignorava as outras crianças com suas brincadeiras e com sua pressa de voltar para casa. Diariamente, eu batia centenas de *forehands**, centenas de *backhands** e centenas de saques até que os movimentos básicos do tênis se tornaram para mim tão naturais quanto andar. Meus pais nunca me forçaram; minha técnica nunca me cobrou – ninguém me pressionava para treinar quando eu não queria. E eu sempre queria.

Mas Jelena não me ensinou apenas sobre esporte. Ela se tornou parceira da minha família também em meu desenvolvimento intelectual. O mundo ao nosso redor estava mudando, e o comunismo em que nascemos estava se desintegrando. Meus pais entendiam que o futuro seria um lugar muito diferente e que era importante para seus filhos serem estudantes globalizados. Jelena me fazia ouvir música clássica e ler poesia – Pushkin era seu favorito – com o objetivo de me acalmar e colocar a mente em foco. Minha família me estimulou a estudar línguas, então aprendi inglês, alemão e italiano, além da minha língua nativa da Sérvia. As aulas de tênis e as lições de vida integraram-se, e tudo que eu queria era estar na quadra com Jelena e aprender mais sobre esportes, sobre mim mesmo e sobre o mundo. E, durante todo o tempo, eu seguia focado em meu sonho. Eu pegava taças, tigelas ou pedaços de plástico e me colocava diante do espelho, dizendo: "Nole é o campeão! Nole é o número 1!"

Eu realmente não sofria de falta de ambição. Não tinha falta de oportunidades. E, de acordo com Jelena, também não precisava de mais talento. Eu era realmente abençoado.

E, então, veio a guerra.

Da magia ao massacre

Eu vi quando os dois mísseis, nascidos da barriga daquele bombardeiro metálico, rasgaram o céu sobre minha cabeça e caíram

---

* *Forehand* é o lance em que o tenista bate na bola com a palma da mão virada para frente. (N. T.)

* *Backhand* é o lance em que o tenista bate na bola com as costas da mão virada para frente. No Brasil, eventualmente chamado de esquerda ou revés. (N. T.)

em um edifício a poucos quarteirões de distância – um hospital. Instantaneamente, houve a explosão e a estrutura horizontal do prédio ficou parecendo um gigantesco clube sanduíche recheado de fogo.

Lembro do odor arenoso, poeirento e metálico no ar e de como toda a cidade reluzia como uma tangerina madura. Agora eu podia ver meus pais a distância, esquivando-se e correndo, e me levantei do chão, disparando pela rua sob aquela luz dourada e avermelhada. Nós chegamos ao edifício em que minha tia morava e nos refugiamos no abrigo de concreto. Havia outras pessoas moradoras do edifício, cerca de 20 famílias. Todas desceram para o abrigo com seus pertences mais valiosos, cobertores, comida, água – porque ninguém sabia quanto tempo teríamos que ficar ali. Havia crianças chorando. Eu não parei de tremer pelo resto da noite.

Por 78 noites consecutivas, minha família e eu nos escondemos no abrigo antibomba do prédio de minha tia. Toda noite, às 8 horas, uma sirene anunciava o perigo e todo mundo devia abandonar suas casas. Pela noite adentro, nós ouvíamos as detonações e, quando os aviões voavam baixo, faziam um barulho horrível como se o céu estivesse caindo em pedaços. O sentimento de desamparo dominou nossas vidas. Não havia nada que pudéssemos fazer a não ser sentar, esperar, torcer e rezar. Em geral, eles atacavam durante a noite, quando a visibilidade era menor. Era quando nos sentíamos mais desesperançados; não podíamos ver nada, mas sabíamos que estavam vindo. Você espera e espera e, então, quando cai no sono, aquele barulho horrível o desperta de novo.

Mas a guerra não me impediu de continuar a perseguir meu sonho como tenista. Durante os dias, eu encontrava Jelena em algum lugar de Belgrado em que pudéssemos treinar; ela me amparava e tentava me ajudar a levar uma vida normal, mesmo depois que sua irmã foi fatalmente ferida por uma parede que desabou sobre ela. Nós íamos para o local que havia sido mais recentemente atacado, imaginando que, se eles bombardearam aquele lugar ontem, provavelmente não voltariam hoje. Jogávamos sem rede, jogávamos sobre o concreto quebrado.

Minha amiga, Ana Ivanovic, também tinha que treinar em uma piscina abandonada. Quando resolvíamos ousar, voltávamos nos esgueirando para nosso clube de tênis local, o Partizan.

  O clube ficava localizado perto de um colégio militar. Com certeza, quando a OTAN nos atacava, bombardeava primeiro as bases militares para enfraquecer nosso sistema de defesa – portanto, o Partizan não era o melhor lugar para passar o tempo. Mas meu amor pelo tênis sempre prevaleceu e, apesar das ameaças reais, eu me sentia seguro ali. Nosso clube tornou-se uma válvula de escape para mim e para meus colegas tenistas. Nós praticávamos diariamente por cerca de quatro ou cinco horas; e até disputávamos torneios amadores entre os bombardeios. Isso nos trazia tanta felicidade que podíamos até jogar tênis em tempos de guerra.

  Mesmo que pensássemos se iríamos sobreviver ou não à guerra, meus pais faziam de tudo para que nossa vida parecesse normal. Meu pai tomava dinheiro emprestado em todo lugar que podia para manter a vida que sempre conhecemos. Estávamos cercados pela morte, mas ele não queria que soubéssemos disso, não queria que soubéssemos como estávamos pobres. E minha mãe era extremamente forte, sempre encontrando um jeito de preparar comida e de nos deixar levar nossa vida de criança despreocupadamente. Tínhamos apenas algumas horas de fornecimento de eletricidade por dia, portanto, ela tinha que ser rápida para cozinhar e deixar prontas nossas refeições antes de a energia ser cortada novamente. Era para garantir que teríamos, pelo menos, sopa e sanduíches para comer.

  Claro, meus pais não conseguiam fazer muito para esconder como nossa vida havia realmente mudado. Todas as manhãs havia uma nova cratera, um novo prédio recém-queimado, uma nova pilha de destroços que uma vez fora uma casa, um carro, uma vida. Nós comemoramos meu décimo segundo aniversário no Partizan. Enquanto meus pais cantavam "Parabéns a Você", suas vozes foram abafadas pelo rugido dos bombardeiros voando sobre nossas cabeças.

Nascido do fogo

No início da guerra, nós vivíamos com medo. Mas em algum ponto durante o curso dos bombardeios, algo mudou – em mim, em minha família, em meu povo. Decidimos parar de ter medo. Depois de tantas mortes, de tanta destruição, nós simplesmente paramos de nos esconder. Assim que você percebe que é realmente impotente, um sentido de liberdade toma conta de você. O que está para acontecer, acontecerá; não há nada que se possa fazer para mudar isso.

De fato, meus conterrâneos começaram a fazer piadas sobre como nossa situação era ridícula. A OTAN estava bombardeando nossas pontes sobre o Danúbio. De vez em quando, era possível ver pessoas se reunindo sobre as pontes com camisetas pintadas com alvos, desafiando as bombas. Um amigo meu até tingiu o cabelo com círculos em preto e branco para parecer mais com um alvo.

Essas experiências tornaram-se lições. Aceitar realmente a sua própria impotência é incrivelmente libertador. Sempre que me pego muito nervoso, infeliz ou frustrado; sempre que me sinto um mimado que quer mais do que merece, tento mudar meu foco, lembrando-me de como cresci, lembrando como foi minha vida passada. Isso coloca tudo de novo em perspectiva. Eu volto a me lembrar de tudo que realmente tem valor para mim: família, diversão, alegria, felicidade e amor.

Amor*.

Definitivamente, o amor é meu maior valor na vida. É sempre o que procuro e tento nunca acreditar que está garantido. Porque em uma fração de segundo, a vida pode virar de ponta cabeça. Por mais lenta e difícil que sua jornada até as estrelas possa ser, não importa quantos anos você tenha levado para chegar até lá, você pode perder tudo em um

---

* No original, *Love*. O autor faz aqui um jogo de sentidos, pois *LOVE* na gíria do tênis internacional é também a pontuação zero alcançada por um jogador. Entre as possíveis explicações, está o fato de que o tenista que não pontua, também não recebe prêmios em dinheiro e, portanto, jogaria tênis "apenas por amor". (N.T.)

instante. Temos um ditado em nosso país: "Quando nada dói, ponha uma pedra no sapato e vá andar." Tenha sempre isso em mente, porque devemos estar atentos às dificuldades que os outros enfrentam. Afinal, nós não fomos criados para estar sozinhos nesse planeta; fomos criados para aprender uns com os outros em união e tentar tornar esse planeta um lugar melhor.

Crescer em meio à guerra, me ensinou outra lição crucial: a importância de manter a mente aberta e nunca deixar de buscar novos caminhos para se realizar. Como povo, nós éramos controlados por um governo que nos mantinha desinformados. As consequências disso continuam a ser sentidas até hoje. Embora nós tenhamos nos recuperado da guerra, ainda não nos livramos do modelo mental que o comunismo nos impôs: que existe um único modo de pensar, um único modo de viver, um único modo de comer. O tênis e meus estudos com Jelena me abriram a mente e estou determinado a mantê-la aberta. Na primavera de 2013, quando estava disputando o French Open, recebi a notícia de que Jelena havia falecido. Mas as lições que ela me ensinou jamais ficarão para trás.

É por isso que, em 2010, quando um homem estranho, magro, de cabelos grisalhos e bigode aproximou-se com uma história maluca de que tinha me visto na televisão e disse que sabia como me ajudar, eu prestei atenção. Muito do que o doutor Igor Cetojevic me ensinou – sobre saúde, sobre vida e, acima de tudo, sobre alimentação – pode lhe parecer inacreditável. Mas digo de novo: inacreditáveis também serão os resultados.

Capítulo 2

O doce sabor da vitória

Uma simples mudança no modo como eu comia transformou meus dois sonhos de vida em realidade

Era 3 de julho de 2011, e o céu sobre o All England Club estava tão sem cor quanto os tradicionais uniformes brancos dos tenistas. Mas, apesar de o sol estar coberto pelas nuvens, não havia previsão de chuva para aquele dia. O teto retrátil iria permanecer aberto durante aquela minha primeira final em Wimbledon. Eu adentrei a quadra de grama, seguido por meu oponente, Rafael Nadal, que defendia seu título.

Fazia 18 meses desde o meu colapso na Austrália e apenas um ano desde que o doutor Cetojevic me apresentara à ideia de que a causa daquilo poderia ser intolerância alimentar. E já estava bem claro para todo mundo do universo do tênis que, de repente, mesmo parecendo inexplicável, eu havia me tornado um jogador diferente.

A ATP (Association of Tennis Professionals) define seu ranking com base no desempenho dos jogadores nos 12 meses anteriores, atribuindo a cada um deles um determinado número de pontos pela etapa que alcançaram em cada torneio. E cada jogador deve defender esses pontos quando os mesmos torneios forem sendo realizados ao longo do ano seguinte. Desde janeiro de 2011, eu vencera 50 das 51 partidas que disputara e o meu sucesso – incluindo o fato de eu ter vencido 43 jogos consecutivos – havia sido tão dominante que, no dia anterior, quando derrotei Jo-Wilfried Tsonga para chegar à final de Wimbledon, meu primeiro lugar no ranking já estava assegurado. Minha vitória me tornou o primeiro homem em sete anos e meio a atingir essa posição sem se chamar Roger ou Rafael. Apenas um ano depois de mudar minha dieta, meu sonho estava se tornando realidade.

Não ainda. Ali estava eu, o tenista número 1 do mundo, que bateu um recorde de sequência de vitórias e derrotou Nadal nas quatro vezes que nos enfrentamos durante aquele ano. Portanto, quando nós dois pisamos na quadra de Wimbledon, estava óbvio para todo mundo quem era o favorito para vencer aquele torneio.

Ele, Nadal.

Sim, é verdade.

Apesar da minha classificação na primeira posição do ranking e de Nadal, defensor do título, contar apenas com uma sequência de

20 vitórias consecutivas, ele ainda era o favorito, pois já havia sido o campeão em Wimbledon por duas vezes. Mais importante: Nadal me derrotou em todas as partidas de Grand Slam que disputamos.

Todos os especialistas concordavam. Antes do jogo, John McEnroe declarou que Nadal venceria. E também Björn Borg, Pat Cash e Tim Henman. Todo mundo reconhecido no mundo do tênis profissional tinha a mesma opinião. Eu havia conquistado a posição de número 1 estatisticamente, mas, na cabeça de todo mundo, eu ainda era aquele garoto esquisito da Sérvia que entra em colapso nos grandes torneios quando o jogo aperta. E a disputa nunca é fácil quando Rafa está do outro lado da rede.

Eu nunca fui realmente considerado o tenista número 1 do mundo até vencer em Wimbledon.

Aposta na vitória

Nadal é o mais forte jogador do circuito mundial de tênis e o mais meticuloso – um novelo de tiques nervosos e rituais supersticiosos. Na verdade, eu o deixara um pouco aborrecido há alguns anos, quando o imitei diante da plateia do US Open. Antes de sacar, ele tem que puxar as meias para fazer com que as duas fiquem exatamente na mesma altura da perna. Então, ele segura forte a parte de trás do calção e antes de sacar, bate a bola no chão vinte, trinta, até cinquenta vezes. Tudo que tive que fazer foi agarrar a parte de trás do meu calção para que toda a plateia do estádio identificasse quem eu estava imitando. Nadal também evita pisar nas linhas da quadra a não ser que a bola esteja realmente em jogo; e sempre ultrapassa cada uma delas primeiro com o pé direito e depois, com o esquerdo.

Porém, enquanto vai se acalmando com esses rituais, ele também está distraindo seu adversário, o que você realmente não quer que aconteça quando está prestes a enfrentar um jogador com o nível dele.

Uma das razões é o seu *forehand*. A força natural da maioria dos tenistas aparece quando eles dão o *forehand* cruzando a quadra, e o maior poder, quando batem na bola depois de um balanço completo do corpo, cruzando a raquete e direcionando a bola através da quadra para o lado oposto. O *forehand* de Nadal é mais poderoso do que o de qualquer outro tenista; já conseguiu lançar a bola a 152 quilômetros por hora.

Mas isso não é o mais assustador. Nadal é canhoto, o que torna a equação ainda mais complicada. Veja, quando dois tenistas destros disputam uma partida, o *forehand* cruzado de um vai para o lado esquerdo da quadra e seu oponente se defende com o braço direito (sendo destro, o braço mais forte). Sendo canhoto, Nadal direciona seu *forehand* de 152 quilômetros por hora para o lado direito da quadra e seu oponente defenderá o lance com o braço esquerdo. Isso significa que o lance mais forte de Nadal vai para o lado mais fraco de seu adversário.

No cara ou coroa, eu estava parado e nervoso, enquanto Rafa sacudia-se como um pugilista, quem sabe, uma parte de sua rotina religiosa. Talvez estivesse se mantendo aquecido, talvez aquilo fosse parte de sua natureza supersticiosa ou talvez estivesse tentando me intimidar com seus músculos peitorais agitados. Se tivesse músculos no peito como os dele, eu também passaria todo o tempo me exibindo.

Meu objetivo contra Rafa era não cometer erros impensados e manter a bola em movimento rápido e consistente; no passado, fui eu quem cometeu os erros. Mas, dessa vez, eu planejava ser bastante agressivo e não dar a Nadal a chance de ditar o jogo. Tipicamente, um grande jogador como Nadal faz seu oponente recuar; a bola vem tão rápida que o tenista médio move-se para trás para dar a si mesmo uma fração de segundo a mais antes da resposta. Minha estratégia foi justamente a oposta: eu me posicionei bem atrás da linha de fundo para reduzir o tempo de resposta para nós dois. Eu apostava que minha velocidade e agilidade me fariam conseguir responder aos melhores lances de Nadal e que, tornando o jogo ainda mais rápido, eu evitaria que ele ditasse o ritmo. Se eu pudesse capturar a energia de seus golpes, eu os responderia na mesma velocidade, ou seja, usando a força de Nadal contra ele mesmo.

Era uma aposta, especialmente contra aquele *forehand*. Mas, enquanto Nadal possuía vantagens físicas únicas, eu também tinha a minha. Desde que perdi o peso extra, eu me tornei muito flexível. São poucos os jogadores, mesmo entre a elite dos tenistas, que podem esticar seus corpos até o limite que eu conseguia. Além disso, a quadra gramada de Wimbledon possibilitava que eu tirasse uma vantagem especial dessa característica. Se há algo pelo qual me tornei conhecido foi a minha habilidade de deslizar para frente e para trás na quadra – derrapando literalmente de um lado para outro e conseguindo colocar-me extremamente perto do chão para rebater a bola. Essa flexibilidade me dava a possibilidade de cobrir mais área da quadra do que o tenista típico. Para responder, eu não tinha que chegar tão perto da bola como os outros jogadores – eu conseguia devolver a bola com força não importava quanto tivesse que esticar meu corpo.

Eu precisaria de cada milímetro de flexibilidade para vencer.

A arte da disciplina

O que é necessário para ser o tenista número 1 do mundo?

Todas as manhãs, quando acordo, tomo um copo de água e faço meu alongamento, às vezes, combinando um pouco de ioga com *tai chi*, durante vinte minutos. Eu tomo um café da manhã perfeitamente calibrado para alimentar meu corpo ao longo do dia que vem pela frente – o mesmo café da manhã quase todos os dias da minha vida. Por volta de 8h30, eu encontro meu técnico e meu fisioterapeuta, que estarão comigo a todo instante até que eu vá dormir, observando tudo que como e bebo e todos os meus movimentos. Eles estão comigo diariamente ao longo de todo o ano, seja maio em Paris ou agosto em Nova York ou janeiro na Austrália.

Eu jogo com um parceiro de treino por uma hora e meia todas as manhãs, me reidratando com água morna. Na verdade, eu beberico uma bebida energética que meu técnico faz especialmente para mim, misturando vitaminas, minerais e eletrólitos. Ele mede todos os elementos com precisão, e a quantidade depende das minhas necessidades diárias. Depois, faço mais alongamento, recebo uma massagem esportiva e almoço, evitando açúcar e proteínas e, além disso, selecionando apenas os carboidratos permitidos na minha dieta livre de glúten e de derivados de leite.

Aí chega a hora da minha preparação física. Eu passo a próxima hora ou um pouco mais, usando pesos e elásticos de resistência – um conjunto de 20 diferentes exercícios de alta repetição com baixo peso para cada tipo de movimento que faço em quadra. No meio da tarde, tomo um drinque de proteína preparado pelo meu fisioterapeuta, contendo uma proteína medicinal derivada de ervilha. Alongo novamente e sigo para mais uma sessão de treinamento: são mais 90 minutos batendo bola, procurando qualquer ligeira falha ou desvio nos meus saques e respostas. Depois disso, alongo novamente e, às vezes, recebo mais uma massagem.

A essa altura, eu treinei direto por oito horas e agora tenho um pequeno intervalo de tempo para cuidar dos aspectos comerciais da minha carreira. Com frequência, isso quer dizer participar de uma coletiva de imprensa ou de um evento beneficente. Depois, vou jantar – refeição de alta proteína, salada, nada de carboidratos e nem de sobremesa. Costumo passar mais uma hora lendo um pouco, em geral, livros sobre desempenho ou meditação. De vez em quando, escrevo em meu diário. E, finalmente, vou dormir.

Isso é o que quer dizer um "dia de folga" para mim.

Ao contrário de outros esportes, não existe realmente o período "fora da temporada" no tênis. Durante 11 meses do ano, tenho que estar pronto para jogar contra os melhores do mundo – talvez contra os melhores de todos os tempos[1]. Para garantir que a minha dieta seja

---

[1] Em 2012, o canal esportivo ESPN perguntou a Ivan Lendl – o tenista número 1 do mundo durante a maior parte da década de 1980 – como ele achava que se sairia jogando contra os atuais tenistas. "Minha bunda seria chutada bem depressa e bem forte", ele brincou. Mas é verdade – o nível de precisão, habilidade e preparação exigido para jogar com os melhores do ranking atualmente é completamente diferente do que era há 15 anos. Todos os esportes evoluíram; o tênis apenas evoluiu mais depressa do que a maioria.

a melhor possível, eu faço um exame de sangue, pelo menos, a cada seis meses para verificar meus níveis de vitaminas e minerais. Este exame também serve para conferir se meu corpo está produzindo um volume maior de anticorpos, um indicador de que posso estar desenvolvendo sensibilidade a determinado alimento. De vez em quando, utilizo as máquinas de *biofeedback* para testar meu nível de estresse. Eu viajo sempre com minha equipe: meu agente, Edoardo Artaldi, que me mantém no horário e tranquilo; meu fisioterapeuta, Miljan Amanovic, que monitora meu bem-estar físico; meu técnico, Marian Vajda, e seu assistente, Dusan Vemic, que garantem que minha técnica não oscile; e minha namorada, Jelena Ristic, que cozinha comigo, me treina e me mantém com bom astral. A maioria das pessoas em meu círculo íntimo é da Sérvia; eles compartilham comigo o mesmo passado terrível, dilacerado pela guerra, e compreendem quanto me custou chegar até aqui na vida – e quanto isso já pareceu impossível um dia.

 Quando um torneio começa, eu posso ter que jogar mais de 20 horas de tênis ao longo de um período de duas semanas com os jogadores de mais alto nível. E o campeonato pode ser disputado em Melbourne ou Miami ou Monte Carlo ou na Califórnia ou na Croácia ou na China – talvez com apenas alguns dias para me deslocar de um lado para o outro do mundo. Cada instante de todos os dias da minha vida é dedicado a manter a posição de número 1 do tênis mundial. Tem que haver muita disciplina; não há lugar para nada mais.

 Quanta disciplina é necessária? Em janeiro de 2012, eu derrotei Nadal na final do Australian Open. A partida durou cinco horas e cinquenta e três minutos – a mais longa da história do Australian Open e a mais longa final de simples da era dos Grand Slams. Muitos comentaristas disseram que aquela foi a maior partida de tênis de todos os tempos.

 Depois que venci, eu sentei no vestiário em Melbourne. E só tinha um desejo: saborear chocolate. Eu não comia chocolate desde o verão de 2010. Miljan me trouxe uma barra. Tirei um quadrado – bem pequeno – e coloquei na boca, deixando derreter devagar na língua. Era tudo que eu podia me permitir.

E isso é o que custa para ser o número 1.

Erguendo a taça

Para vencer em Wimbledon em 2011, eu precisei mais do que apenas disciplina. Precisei de cada gota do treino e das habilidades que acumulei nas duas décadas anteriores. Eu estava repleto de ansiedade e nervosismo – assim como toda minha equipe. Marian teve que dar uma corrida de 45 minutos antes do jogo para queimar toda aquela energia nervosa.

Eu comecei a partida sacando. A cada ponto ganho, minha equipe saltava e festejava – minha família estava com eles e meus irmãos, Marko e Djordje, em particular, nem conseguiam ficar sentados. Mas, a cada ponto que Nadal marcava, sua equipe permanecia calma e impassível como os jurados em um tribunal. Eu podia ser o número 1, mas ainda era um arrivista.

No início do primeiro game, Nadal me fez lembrar que seu vigoroso *forehand* estava em forma, disparando dois canhões idênticos para a linha lateral e assumindo a liderança por 15/30. Bem lembrado: eu tinha que mantê-lo em movimentos amplos, assim não conseguiria ficar naquele ângulo impossível em relação a mim. Pelo meio do primeiro *set*, eu estava à frente por 4/3. Ficou claro que minha estratégia de ficar próximo à linha de fundo estava funcionando. Estava respondendo os enervantes *forehands* de Nadal tão depressa que conseguia pegá-lo com o pé trocado. Nadal não estava acostumado a enfrentar jogadores que podiam se aguentar contra ele em longas partidas, mas eu me mantive cabeça a cabeça com ele e venci o primeiro *set* por 6/4.

Agora eu conseguia sentir a confusão de Rafa. A bola estava se movendo como um relâmpago, e eu conseguia responder lances que ele tinha certeza que seriam vitoriosos. Quando assumi a liderança do segundo *set* por 2/0, pude sentir a energia da audiência ficando a meu favor. Muitas daquelas pessoas haviam dito que a minha classificação como número 1 do mundo tinha sido uma anomalia estatística. Ali, no principal palco do tênis mundial, pude sentir que o mundo inteiro estava percebendo que, por fim, eu realmente havia chegado lá. Eu venci o segundo *set* com facilidade por 6/1.

É muito raro que um tenista desse nível consiga revidar a perda de 2 *sets* a zero, mas Nadal já havia feito isso antes – duas vezes – em Wimbledon. E havia ainda aquele elefante na quadra: será que Nole teria um colapso? Será que teria uma crise de asma, seu nível de preparação física falharia ou sua concentração mental desapareceria? O saque de Nadal, com o qual eu estava conseguindo lidar bem até agora, de repente, parecia estar ganhando ainda mais velocidade e o *forehand* estava se tornando ainda mais preciso. Quando estávamos em 1/4, eu cometi dupla falta, e Nadal venceu o game e ficou com o serviço. Agora novamente no controle total do jogo, ele só precisou de quatro saques para fechar o *set* por 6/1. Eu senti a lealdade da audiência voltar para Nadal. Eles torceram um pouco pelo arrivista, mas Nadal queria lhes mostrar quem era o verdadeiro campeão.

No quarto *set*, o momento continuou positivo para Rafa. Não pude marcar um único ponto no primeiro game e, rapidamente, estávamos em 2 games a zero a favor dele. Nadal me jogava de lá para cá, mas, ainda assim, eu conseguia responder suas devoluções de bola e deslizava como um skatista pela quadra. Venci o terceiro game, retardando a vitória dele. Então, venci também o game seguinte, passando a liderar por 4/3, e a realidade do que podia estar acontecendo ali se iluminou para mim. Eu ganhei o próximo game e, de repente, a 5/3, eu estava sacando pela vitória no torneio de Wimbledon.

Era isso. Tudo pelo que trabalhei com a máxima garra, mas Nadal não me entregaria o título sem luta. Ele se recuperou e revidou rapidamente e, então, chegou a 15/0. Nós lutamos uma batalha assustadora, e a plateia estava enlouquecida, enquanto nós jogávamos um ao outro, de um lado para outro da quadra, até que Rafa errou um *forehand* que ficou na rede. Mas ele voltou com tudo e fez 30/0, lançando outro de seus *forehands* brutais.

Nós competimos de igual para igual por um tempo, mas algo dentro de mim dizia que eu precisava chacoalhar aquela minha estratégia de linha de fundo e mandar para Rafa um lembrete de que o inevitável estava para acontecer para ele. Eu saquei e, então, surpreendi Nadal, correndo para a rede – saque e voleio! – e respondi a devolução dele diagonalmente como um vencedor. Ele jamais esperaria aquilo.

E ele jamais esperou isso: ponto decisivo, Djokovic. Eu saquei, e nós trocamos lances. Então, aconteceu: Nadal deu um *backhand* fora e antes que a bola saísse de sua raquete, eu sabia que era um lance longo demais.

Caí de costas e, quando meu corpo tocou a grama, eu tinha seis anos de idade novamente. Mas, dessa vez, o troféu não era de plástico. Dessa vez, era real.

Naquelas 24 horas meus dois sonhos de uma vida inteira haviam se transformado em realidade: vencer em Wimbledon e me tornar o tenista número 1 do mundo.

Não foram os piores dias no trabalho. Mas nada daquilo teria sido possível se eu não tivesse descoberto como me alimentar corretamente.

Capítulo 3

Ao abrir minha mente, mudei meu corpo

Atingi um novo patamar de sucesso, deixando para trás o jeito "certo" de fazer as coisas

"Existe um teste que nos ajudará a verificar se seu corpo é sensível a determinados alimentos", disse o doutor Cetojevic para mim.

Nós não estávamos em um hospital, laboratório ou consultório médico. Ele não estava tirando sangue. Não havia escâneres ou aqueles equipamentos médicos grandes e assustadores. Era julho de 2010, durante um torneio na Croácia, e o doutor Cetojevic estava me explicando que acreditava saber por que eu havia entrado em colapso tantas vezes no passado e como ele poderia mudar minha dieta, meu corpo e minha vida para melhor. Então, pediu-me para fazer algo estranho.

Ele me fez colocar a mão esquerda sobre a barriga e manter o braço direito bem alinhado ao corpo.

"Quero que você resista à pressão", disse puxando com força meu braço direito para baixo. Um pouco depois, ele parou. "É assim que seu corpo deve se sentir", comentou.

A seguir, deu-me uma fatia de pão. Deveria comer?

"Não." Ele riu. "Segure a fatia de pão sobre seu estômago e deixe seu braço cair de novo ao lado do corpo." Mais uma vez, ele puxou com força meu braço para baixo, explicando que esse teste aparentemente tosco nos indicaria se eu sou, ou não, sensível ao glúten, uma proteína existente no trigo, cevada, centeio e outros grãos comuns nos pães.

Aquilo parecia uma loucura.

Mesmo assim, notei uma grande diferença. Com a fatia de pão encostada em meu estômago, meu braço direito teve dificuldade para resistir à pressão que o doutor Cetojevic fazia para baixo. Eu estava consideravelmente mais fraco[1].

"Isso é sinal de que seu corpo está rejeitando o trigo do pão", ele disse. Eu nunca tinha ouvido a expressão "intolerância a glúten", mas estava dando os primeiros passos para entender como um alimento havia tido um enorme papel na minha vida, como a minha tradicional

---

[1] Esse exame é chamado de "teste cinesiológico do braço" e tem sido usado há muito tempo como instrumento de diagnóstico por curandeiros naturistas. O tema é tratado detalhadamente no livro *Power versus force: the hidden determinants of human behavior*, do doutor David R. Hawkins, Ph.D.

dieta baseada em trigo estava me puxando para trás – e o quanto estava em minhas mãos a mudança.

(Por falar nisso, acho que esse pode ser um truque ótimo para você fazer em festas: escolha alguém e peça para que fique na mesma posição – braço direito estendido ao longo do corpo e mão esquerda sobre a barriga – e teste a força da pessoa. Depois, faça-a segurar um telefone celular sobre o estômago e teste novamente a força do braço direito. A radiação do celular faz o corpo reagir negativamente e enfraquece a resistência do braço, exatamente como faz um alimento ao qual você é intolerante. Esse é um truque revelador – e fará você pensar duas vezes antes de carregar o celular no bolso da calça.)

Em seguida, o doutor Cetojevic explicou que existiam outras formas mais científicas e precisas para testar minha sensibilidade a determinados alimentos. O melhor e mais acurado é o teste ELISA – ensaio de imunoadsorção enzimática. É um teste sanguíneo comum muito utilizado para verificar o uso de drogas, diagnosticar malária e HIV, além de checar alergias alimentares (você vai saber mais sobre o assunto no próximo capítulo).

O teste ELISA pode nos ensinar muito sobre nossa sensibilidade aos alimentos. As intolerâncias mais comuns são por glúten, laticínios, ovos, carne de porco, soja e castanhas. Alguns de nós apresentam sensibilidades incomuns ou rejeitam combinações estranhas; meu técnico, Miljan Amanovic, por exemplo, apresentou sensibilidade a abacaxi e clara de ovo. Mas, assim que você descobre ao que é sensível, você pode fazer mudanças dramáticas, quase sem esforço (Apenas eliminando esses dois alimentos, Miljan perdeu 4,5 quilos em apenas algumas semanas).

Quando o meu teste sanguíneo voltou, o resultado foi chocante: eu era fortemente intolerante a trigo e laticínios e tinha uma ligeira sensibilidade a tomate.

"Se você quer que seu corpo responda do jeito que você gostaria, você vai ter que parar de comer pão", disse o doutor Cetojevic. "E pare também de comer queijo. E corte os tomates da dieta."

"Mas, doutor", eu respondi, "meus pais têm uma pizzaria!"

Eliminando o pão

Ao longo dos últimos três anos, eu aprendi muito sobre nutrição e corpo humano, mas a minha busca por informação é bem mais longa do que isso. Por toda minha vida procurei conhecimento, não somente sobre tênis, mas a respeito do funcionamento do corpo e da mente.

Talvez essa busca se deva ao fato de por tantos anos eu ter sido forçado a ficar afastado do conhecimento.

Nasci em 22 de maio de 1987 em um país que não existe mais: a Iugoslávia comunista. Quando você passa gerações sob o comunismo, como ocorreu com a minha família, aprende a aceitar que só há um jeito de fazer as coisas. O governo e a sociedade em que você vive ditam o seu único jeito de vestir, a quem respeitar, como se exercitar e como pensar. E, certamente, o único jeito de se alimentar.

Crescendo na Sérvia – o nome do meu país voltou ao original depois do rompimento com a Iugoslávia –, nós comíamos da forma tradicional. A alimentação é pesada: muito laticínio, muita carne e, especialmente, muito pão. O pão é uma parte importante da alimentação dos sérvios desde o pão doce chamado *cesnica* que, tradicionalmente na época de Natal, nós trocamos no café da manhã por outros, como o *kifli* (tipo de croissant) e o *pogacice* (tipo de pastel). E, quando estamos em guerra, o pão se torna literalmente a vida; para muitos de nós, houve momentos em que pão era tudo que havia para comer. Eu sei o que é ter uma família de cinco pessoas e só contar com dez euros para nos sustentar; você compra óleo, açúcar e trigo – os ingredientes mais baratos – e faz pão. Um quilo de pão pode render alimento para três ou quatro dias. Embora minha família nunca tenha realmente passado fome, durante muitos meses nós só recebíamos eletricidade e água encanada por algumas horas do dia. Portanto, o pão nos manteve vivos.

Mesmo nos bons tempos, o pão sempre fez parte de nossa alimentação. Sendo a Sérvia próxima da Itália, é forte a influência da culinária italiana, então, quando não estamos comendo pão, estamos comendo massa e, na minha família em especial, pizza. A pizzaria da família foi nossa principal fonte de receita durante a maior parte da minha infância e, com certeza, ali era o centro da nossa casa nos meus primeiros dias na quadra de tênis do outro lado da rua, onde começou minha jornada.

Em outras palavras, você pode adorar trigo, centeio e outros grãos que fazem os pães tradicionais, massas e pastéis. Mas esteja certo de que você não gosta mais disso tudo do que eu.

É bem possível que, como consumi muito pão e laticínios durante a minha juventude, meu corpo tenha se tornado progressivamente cada vez mais sensível a esses alimentos. Quando somos jovens, nosso corpo consegue lidar com os muitos desafios que lhe apresentamos. É uma bênção, mas também uma maldição. Quando você é jovem e forte consegue lutar contra os alimentos tóxicos e o estresse sem, necessariamente, passar mal ou ficar fatigado. Mas quando ficamos mais velhos e mantemos os mesmos hábitos para comer e viver, começamos a ter problemas. Portanto, temos que mudar a maneira de nos alimentar. As mudanças não são tão difíceis. Mas as recompensas são fantásticas.

Nova comida, nova vida

O maior presente que o tênis me deu não foi a fortuna e a fama e nem a oportunidade de ganhar a vida fazendo o que mais gosto e nem mesmo a chance de inspirar outras pessoas, especialmente meus conterrâneos sérvios. O grande presente que o tênis me deu foi a oportunidade de viajar. Isso me possibilitou abrir a cabeça para o que as outras culturas têm a oferecer.

Como já disse, crescendo em um país comunista, você não é ensinado a abrir a mente. E há uma razão para isso: quando você não tem a mente aberta, então, pode ser facilmente manipulável. As pessoas no topo da hierarquia dedicam-se a assegurar que ninguém vai questionar aquilo que elas falam para acreditar. Sejam as regras comunistas ou, para a maioria de nós, as regras das indústrias alimentícias e farmacêuticas, as pessoas no topo sabem que grande parte de nós é conduzida pelo medo.

Você não precisa viver em uma ditadura comunista para ser manipulado pelo medo. Está acontecendo o mesmo hoje em todos os países do mundo. Nós temos medo de não ter o suficiente – suficiente comida, dinheiro ou segurança. Nós trabalhamos, trabalhamos, trabalhamos e enchemos nossos corpos com *fast-food* e comida industrializada porque temos medo de ficar para trás. Então, nossos corpos se rebelam. E aí vamos ao médico porque estamos com problemas no estômago, na cabeça ou nas costas. Queremos a cura. Tomamos pílulas para curar os sintomas, mas elas só empurram nossos problemas para baixo do tapete.

Esse era o jeito que eu vivia. Eu precisava reaprender não apenas a comer, mas a pensar diferente sobre a alimentação.

Sendo jovem, eu não havia sido ensinado como as diferentes culturas viam a comida. Não sabia nada sobre *sushi*, comida chinesa ou sobre o modo oriental de planejar as refeições – elementos que hoje são uma parte crucial da minha nutrição. Há aspectos maravilhosos na cultura sérvia, mas anos de controle comunista nos deixaram desinformados. O que aprendi ao longo dos anos viajando, estudando, pesquisando e aceitando é que existem diferenças entre as culturas e que você pode escolher as melhores ideias de cada uma delas e aplicar em sua vida.

Por exemplo, um dos aspectos da medicina chinesa que me orientou foi a noção do relógio corporal – a ideia de que nossos corpos têm um cronograma diário e que cada órgão tem sua hora quando o corpo está se autocurando. De acordo com a tradição chinesa, cada órgão de nosso corpo está "em manutenção" mais ou menos nos seguintes horários:

Pulmões: entre 3 e 5 horas da manhã – algumas pessoas acreditam que a maioria de nós acorda tossindo, mesmo sem fumar e cuidando bem do corpo, porque, enquanto estamos dormindo, nossos pulmões estão eliminando resíduos. Uma dieta pobre torna esse trabalho dos pulmões muito mais difícil.

Intestino grosso: entre 5 e 7 horas da manhã – é fundamental beber água logo ao acordar porque esse é o momento do dia em que o intestino grosso trabalha para empurrar as toxinas para fora do nosso corpo. A água ajuda nesse processo.

Estômago: entre 7 e 9 horas da manhã – essa é a hora perfeita para tomar o café da manhã porque nosso estômago está em seu momento mais eficiente.

Baço: entre 9 e 11 horas.

Coração: entre 11 e 13 horas.

Intestino delgado: entre 13 e 15 horas – se você está se alimentando com as comidas erradas, essa é a hora do dia em que seu corpo pode enviar os sinais mais fortes. Se você sente indigestão, dor ou estufamento no início da tarde, é um claro sinal de que seu corpo é sensível a um ou mais alimentos que está ingerindo e deve fazer uma boa revisão em sua dieta.

Rins e bexiga: entre 15 e 19 horas – tradicionalmente, acredita-se que, se você sente cansaço ou preguiça nesse período do dia, é sinal de que está comendo demais certos alimentos que seu corpo rejeita. Supostamente, no final da tarde, você deve estar cheio de energia e não pronto para tirar uma soneca.

Pâncreas: entre 19 e 21 horas – o pâncreas controla a insulina que processa o açúcar em nosso sangue. Uma dieta pobre pode fazer com que seu corpo retenha os açúcares, especialmente nesse período do dia.

Veias e artérias sanguíneas: entre 21 e 23 horas.

Fígado e vesícula biliar: entre 23 horas e 3 da manhã – dormir mal pode ser outro sinal de sensibilidade alimentar. Se você tem dificuldade para pegar no sono nesse intervalo, pode ser porque seu fígado está trabalhando demais para limpar as toxinas do corpo.

A simples ideia de que nossos órgãos funcionam de acordo com um cronograma rígido parece absurda – tão impossível quanto testar a intolerância do corpo segurando um alimento sobre a barriga. Mas o que importa não é se você acredita ou vai seguir essas abordagens peculiares. O que interessa é abrir a mente. Como disse desde o início desse livro, não estou prescrevendo nada; não sou médico e nem nutricionista. Estou apenas recomendando que você abra a mente, dê uma chance a essas diversas ideias e ouça os sinais que seu corpo está lhe enviando. Tente recuar um pouco para ter uma perspectiva melhor para analisar com mais distanciamento o que está acontecendo dentro de seu corpo. Seja objetivo. Somente você pode saber que alimentos são os melhores; somente você pode traduzir o que seu corpo está tentando lhe dizer.

Catorze dias que vão mudar sua vida

Com seis anos de idade, eu disse que queria me tornar o número 1 do mundo e, por milagre, minha primeira técnica, Jelena Gencic, me levou a sério. Ela também acreditava que ser o melhor também significava estudar muito mais do que apenas tênis. Ouvir música clássica, ler poesia, pensar intensamente sobre a condição humana – isso foi parte do meu treinamento inicial tanto em casa com meus pais quanto na quadra com Jelena. Ela não apenas abriu minha mente; ela me deu os instrumentos para mantê-la aberta. Em parte, também foi por causa dela que eu, desde cedo, segui buscando todas as formas de treinamento e preparação desde o *tai chi* e a ioga até outras especialidades. Se eu pretendia ser o melhor, não poderia deixar nenhuma possibilidade inexplorada.

Assim, quando o doutor Cetojevic aproximou-se de mim com teorias que muitos de nós podem considerar esquisitas, eu estava pronto para ouvi-lo. Naquele momento bizarro e chocante, quando lutei para resistir à pressão em meu braço, percebi que o pão que segurava sobre meu estômago era como criptonita. Portanto, estava pronto para fazer algumas mudanças.

Porém, a ideia de abrir mão para sempre do pão e de outros alimentos com glúten – alimentos que eram tão preciosos para mim, tão enraizados em minha vida, na minha família e na minha cultura – foi assustadora. Então, o doutor Cetojevic explicou que eu não tinha que desistir do pão para sempre. Como dizem, "para sempre" é um tempo longo demais.

"Duas semanas", ele disse. "Você deixa de comer pão por catorze dias e, então, me telefona."

No começo, foi difícil. Sentia muita falta da sensação macia, gostosa e reconfortante do pão na boca. Sentia falta da massa crocante da pizza, dos pãezinhos; todas as comidas que aprendi a gostar continham trigo – algumas insuspeitáveis (há uma lista completa dessas fontes insuspeitas de trigo nas páginas 71 e 72). Durante a primeira semana ou em um pouco mais, eu senti falta dessas comidas, mas a cada dia mantinha o foco na disciplina e, felizmente, minha família e meus amigos – mesmo achando que eu estava ficando maluco – apoiaram a minha escolha. Mas conforme os dias foram se seguindo, eu comecei a me sentir diferente. Sentia o corpo mais leve e cheio de energia. O estufamento noturno que me acompanhava há 15 anos havia desaparecido. No final da primeira semana, eu já não queria roscas, biscoitos e pães; era como se aquele desejo vitalício, de repente, tivesse simplesmente desaparecido. A cada dia da semana seguinte, eu acordava sentindo que tinha tido a melhor noite de sono da minha vida. Estava começando a acreditar.

Foi quando o doutor Cetojevic sugeriu que eu comesse um pãozinho.

Esse é o verdadeiro teste, ele explicou. Eliminar um alimento por catorze dias e, então, voltar a comê-lo para ver o que acontece. E, extraordinariamente, depois de ter reintroduzido o glúten na minha dieta, no dia seguinte, eu me senti como se tivesse passado a noite bebendo uísque! Senti muita preguiça para sair da cama, exatamente como acontecia desde a minha adolescência. Estava zonzo. O estufamento voltou. Parecia que eu tinha acordado com ressaca.

"Essa é a prova", o médico disse. "Isso é o que seu corpo faz para mostrar a você os alimentos que não tolera."

E, a partir daquele momento, prometi que ouviria tudo que meu corpo tivesse para me dizer.

CAPÍTULO 4

O QUE PREJUDICA SEU DESEMPENHO?

Os alimentos que podem estar sabotando secretamente seu corpo e sua mente

Ser um tenista profissional pode lhe oferecer uma vida muito boa, mas também pode ser muito difícil.

O tênis é um esporte muito diferente do basquete, do futebol ou de qualquer outro em equipe. Pode ser extremamente solitário e desencorajador – é mais como ser um músico e não um atleta. Existem cerca de dois mil tenistas masculinos classificados no *ranking* da Association of Tennis Professionals (ATP). Muitos de nós, quando começamos, imploramos por alguns dólares para nos sustentar na profissão entre um torneio e outro, porque, se você não vence, não recebe nada.

Assim que alcança algum grau de sucesso, no entanto, a vida se torna mais generosa. Tradicionalmente, o tênis, como o golfe, é um esporte que depende mais de treino técnico, habilidade e talento natural do que do condicionamento físico. No auge de suas carreiras, tenistas como Pete Sampras e Andre Agassi estavam em forma, mas muito mais focados em suas habilidades técnicas do que em dieta e condicionamento. Ainda hoje, entre os primeiros 200 do *ranking*, a maioria come o que quer, não pensa em treinar muito além do que o tempo investido em quadra e desfruta o próprio sucesso – e todas as satisfações que isso pode comprar – ao máximo. Você pode viajar pelo mundo, ganhar um milhão de dólares por ano e ter uma vida muito agradável, se tiver as habilidades naturais e a dedicação para se tornar um tenista profissional do topo do *ranking*.

Mas, quando você chega entre os 40 melhores por aí, tudo muda muito. Atualmente, os tenistas são tão profissionais que o condicionamento físico e a nutrição são fundamentais. A velocidade do saque dos melhores jogadores chega a mais de 217 quilômetros por hora e a do *forehand* atinge com regularidade os 128 quilômetros por hora. Os melhores do *ranking* como Nadal, Federer, Tsonga e Andy Murray são provavelmente mais fortes, mais rápidos e mais precisos do que quaisquer outros tenistas que já tenham pisado antes em uma quadra.

Nós somos como instrumentos de precisão. Qualquer falha mínima – como meu corpo reagindo mal aos alimentos que como – simplesmente me impede de jogar no nível necessário para derrotar esses caras.

Mais importante: tampouco posso ser o amigo, o irmão, o filho, o namorado ou o homem que quero ser. Comer os alimentos certos me dá mais do que vigor físico; dá paciência, foco e atitude positiva. Essa dieta possibilita que eu esteja inteiro no momento de jogar, mas também com as pessoas que amo. Os alimentos certos me fazem jogar no meu mais alto desempenho em todas as áreas da minha vida.

Aposto que você também quer ter o seu mais alto desempenho.

Então, aqui está minha sugestão: comece mudando os alimentos que você come.

Sensibilidade a Alimentos / Testes de Alergias

Os médicos utilizam diversos métodos para detectar a sensibilidade ou a alergia aos alimentos:

Histórico médico. O médico entrevista o paciente sobre sua alimentação cotidiana para determinar quais alimentos podem estar causando problema. Isso também requer que o paciente mantenha um diário detalhado de tudo o que consome durante um determinado período, inclusive, água.

Eliminação. Com base nesse histórico alimentar, o médico pedirá que o paciente elimine da dieta diária alguns alimentos suspeitos. Os resultados positivos indicam que as comidas prejudiciais foram identificadas.

Teste cutâneo. Esse é o método mais comum para detectar muitas formas de alergia (ambientais, animais, alimentos etc.). O médico usa uma pequena agulha para injetar um pouco do extrato do potencial alergênico sobre a pele das costas ou do braço do paciente. Vermelhidão e inchaço no local da injeção indica "positivo". O médico combinará esse resultado com seu histórico de reações para fazer o diagnóstico.

Teste sanguíneo ELISA. O ELISA (ensaio de imunoadsorção enzimática) é um teste de laboratório usado para detectar substâncias no sistema orgânico do paciente. É comumente usado para testar o contágio por certas doenças (HIV ou hepatite B, por exemplo), drogas e, claro, alergias alimentares. Nesse caso, o teste indica o nível de anticorpos alimentares específicos (imunoglobulina E ou IgE) no sangue do paciente.

Teste de alimentos por via oral. Esse é o mais preciso teste para as alergias alimentares, mas também o mais demorado. O médico oferece ao paciente os alimentos possivelmente prejudiciais e observa a reação (se houver). O mais alto padrão aqui é o tipo duplo-cego, quando nem o médico e nem o paciente sabem qual alimento está sendo ministrado em cada etapa do teste. Isso evita qualquer viés na reação do paciente e na avaliação do médico.

Caso você suspeite que possa ter sensibilidade ou alergia alimentar, se quiser verificar, converse com seu médico sobre esses testes.

Os dois capítulos a seguir são sobre esse tema: vou lhe apresentar os alimentos que mudaram tudo para mim. As comidas que aprendi a evitar e aquelas que adotei na minha melhor dieta. Você verá o que e como eu me alimento. Embora eu não recomende que você copie minha dieta da primeira à última caloria, você pode usar essa informação para ter suas próprias dúvidas e descobrir quais são os seus melhores combustíveis, seus melhores métodos para obter seus melhores resultados. Você pode utilizar minha experiência – e a informação científica apresentada nesse livro – para fazer as mudanças necessárias.

Tudo o que tem a fazer é tentar. Para mim, o pior tipo de derrota não é falhar tentando. É tomar a decisão de não tentar.

Em relação ao que você vai ler nesse capítulo em particular, eu digo com um sorriso que não sou médico e nem especialista em nutrição. Obviamente, contei com apoio para pesquisar sobre o tema, mas estão aqui as explicações de meus problemas alimentares recebidas das pessoas que me ajudaram a rever minha dieta, reconstruir meu corpo e, em última instância, minha vida.

O problema do glúten

Sabemos, atualmente, muito mais sobre o glúten do que há alguns anos, e milhões de pessoas são mais saudáveis por isso. O glúten é uma proteína encontrada nos grãos do trigo, centeio e cevada. É a "cola" do trigo que torna a massa do pão pastosa e flexível; sem glúten, não conseguiríamos rodar um disco de pizza nas mãos ou abrir a massa de uma torta. Todos os produtos com trigo contêm glúten, mesmo aqueles saudáveis com grãos integrais. Isso significa que existe glúten na vasta maioria dos alimentos que comemos. Quais deles exatamente? Bem, está aqui uma amostra:

Pão, claro: isso inclui *muffins*, pães de hambúrguer, tortilhas de trigo, *wraps* e até mesmo os pães sem fermento (ázimo) como os *matzos*.

Todo espaguete ou massa feita de trigo: isso quer dizer toda massa com trigo, massa de espinafre ou qualquer outra feita com trigo.

Todo bolo, bolinho, biscoito, *muffin*, *cupcake*, palitinho e massa de torta.

Bolachas água e sal, aperitivos salgados, bolachinhas e *pretzels*.

Cereais do café da manhã: até aqueles de flocos de milho que parecem não ter trigo (eles têm). Isso inclui aqueles açucarados feitos para as crianças e também os "saudáveis" industrializados para adultos.

Bebidas alcoólicas como cerveja e outras fabricadas com malte: alguns *wine coolers* são produzidos com malte e algumas vodcas são destiladas a partir do trigo.

De novo, isso é apenas uma amostra. O fato é que as pessoas nos países desenvolvidos ingerem muito carboidrato e, em especial, uma montanha de grãos. Com que frequência você costuma ver a embalagem de um pão ou uma caixa de cereais anunciando "grãos integrais" como uma escolha saudável[1]?

E aqueles são os alimentos recomendados para uma dieta saudável. Imagine toda a *junk food* que ingerimos "repleta" de trigo. Atualmente, o trigo colabora com 20% de todas as calorias que consumimos. Pior do que isso, hoje em dia, o trigo e outros grãos são geneticamente modificados de um jeito que parecem irritar ainda mais nossos corpos. Os cientistas que pesquisam a agricultura genética descobriram que o glúten no trigo modificado – que chega a quase 100% do trigo consumido hoje em todo o mundo – é estruturalmente diferente de tudo que é oferecido pela natureza[2].

Como disse antes, se você não mantiver a mente aberta, poderá ser facilmente manipulado para acreditar que existe apenas um jeito de

---

[1] Entre os 26 alimentos potenciais diários apresentados na antiga pirâmide alimentar do Departamento de Agricultura dos Estados Unidos (USDA), quase a metade – onze – era de grãos. Atualmente, o USDA usa um prato para ilustrar o que e quanto o norte-americano deve comer por dia, embora pouco tenha mudado: mais de ¾ do prato é ocupado por grãos, frutas e vegetais. Fique com as frutas e os vegetais, mas fique longe dos grãos!

[2] A obra mais respeitada sobre modificação genética do trigo é o livro *Barriga de Trigo*, do doutor William Davis, no qual ele afirma: "Ao longo dos últimos 50 anos, milhares de novas linhagens (de trigo) foram desenvolvidas pela cadeia de abastecimento da agroindústria sem um único esforço prévio em testes de segurança."

fazer as coisas – nesse caso, os fabricantes de alimentos e remédios que querem que todos comam o máximo possível de grãos. Por contar com subsídio governamental, os grãos são baratos de produzir, e a indústria alimentícia tem grande interesse em nos induzir à ideia de que o trigo, em especial, é saudável. Mais grãos significam mais problemas de saúde – obesidade, diabete, doenças cardíacas – o que resulta em mais remédios, que tomamos junto com nossos "saudáveis" grãos integrais. Os fabricantes de comida ficam mais ricos. Os fabricantes de remédios ficam mais ricos. E nós ficamos cada vez mais doentes.

É triste. O pão foi a tábua de salvação para mim e para o meu povo durante os bombardeios na Sérvia. Agora, está minando a qualidade de nossas vidas.

Qual a sensibilidade do seu corpo?

Portanto... qual é exatamente o problema com o glúten? Na verdade, são vários.

O corpo de algumas pessoas simplesmente não consegue processar o glúten e as reações físicas resultantes podem ser severas. A condição mais séria é a *doença celíaca*, um quadro completo e permanente de alergia ao glúten. Para os celíacos, a exposição ao glúten pode causar uma reação inflamatória no intestino delgado – inchaço, cólica, diarreia e fadiga –, também podem ocorrer erupções cutâneas. Como o intestino ainda pode não ser capaz de processar vitaminas e minerais na presença do glúten, a doença celíaca pode levar à perda de peso, anemia, osteoporose e má nutrição.

A doença celíaca é uma condição de saúde que precisa ser diagnosticada e tratada por médicos. Nem todo mundo nasce celíaco – a doença pode ser desenvolvida mais tarde. As pessoas diagnosticadas com esse mal têm que seguir uma rigorosa dieta sem glúten e consumir acidentalmente a proteína (pode estar escondida em alimentos com molho de soja ou em aditivos alimentícios com a cor do caramelo) pode levar a sintomas dolorosos por diversos dias.

Mas a maioria das pessoas é como eu: nós temos sensibilidade ao glúten em produtos com trigo. Uma entre cada cinco pessoas apresenta algum grau de intolerância ao glúten, embora isso seja difícil de determinar, já que os sintomas podem ser leves ou severos e costumam aparecer várias horas depois da ingestão do alimento (E quantos de nós temos uma crise de intolerância ao glúten em rede internacional, enquanto um nutricionista em Creta está assistindo à televisão?). Se 20% de nossa ingestão diária de calorias vem do trigo, há grandes chances de que a maioria de nós passe a vida com reações constantes ao glúten – sentindo inchaço, cansaço e fraqueza – acreditando simplesmente que é assim que deve ser[3]!

A eliminação do glúten pode levar à rápida perda de peso, ganho de energia e até mesmo ao fim das alergias e de outras reações do sistema imunológico. Mas cortar o glúten não está relacionado apenas a se sentir fisicamente melhor. Naquele dia no Australian Open, não era apenas meu corpo que estava se rebelando; era também a minha mente. Eu não conseguia recuperar o controle do meu foco e nem das minhas emoções. Este é o presente secreto da minha dieta: eu sinto e penso mais clara e positivamente. E acredito que você também vai se sentir assim[4].

---

[3] Um estudo de 2012, publicado no *American Journal of Gastroenterology*, acompanhando cerca de 300 pacientes ao longo de mais de 10 anos, encontrou dois tipos definidos de sensibilidade não celíaca ao trigo: um com sintomas semelhantes à doença celíaca e um que parece mais como uma sensibilidade alimentar genérica, com queixas de inchaço e fadiga. Nos dois casos, a eliminação do glúten é recomendada. FONTE: *American Journal of Gastroenterology*, 2012 dez; 107(12): 1898-906; *Non-celiac wheat sensitivy diagnosed by double-blind placebo-controlled challenge: exploring a new a clinical entity*. CARROCIO A. *et alii*

[4] Pesquisas relacionaram a doença celíaca e a sensibilidade ao glúten não apenas a reações intestinais, mas também a reações do sistema nervoso. Um estudo publicado no *The Lancet Neurology* descobriu que a sensibilidade ao glúten pode causar "desequilíbrios neurológicos" em vários graus. Isso explicaria por que muitos pacientes reclamam de "confusão mental" depois de consumir produtos com trigo e relatam estar com o pensamento mais claro, com mais foco e energia, depois de eliminar o glúten de suas dietas. FONTE: *Lancet Neurol*. 2010 Março; 9(3): 233-5. *Gluten sensitivity: an emergingissue behind neurological impairment?* VOLTA U. *et alii*

> ### A pizza realmente me impedia de ser o nº1?
>
> Como minha família possuía uma pizzaria, a Red Bull, quando eu estava crescendo, vivi de pizza por muitos anos. Para mim, era tão fácil ºagarrar uma fatia (ou três), quando estava com fome. Parecia lógico naquele tempo, não apenas por conveniência, mas também sob o ponto de vista do condicionamento físico. Pizza tem tomates no molho, cálcio e proteína no queijo e carboidrato na massa. E esse era o problema: queijo e massa. Eu comi tanta pizza por tantos anos, que suspeito que criei para mim mesmo essa sensibilidade ao glúten e aos laticínios.
>
> Que vergonha. Minha família fazia uma pizza realmente muito boa.
>
> Mas tudo teve um final feliz. Hoje em dia, tendo visto o sucesso da minha dieta, meus pais abriram uma cadeia de restaurantes com cardápio sem glúten na Sérvia. E simplesmente deram o nome de Novak.

Onde o glúten se esconde

Alguém como eu, que depende do próprio corpo para viver, deve reconhecer a sensibilidade a algum alimento como porco ou morango muito mais facilmente, porque, em geral, não ingerimos esses alimentos diariamente. Além disso, não são ingredientes escondidos em outros produtos alimentícios. Mas o trigo é muito sorrateiro. Mesmo nos dias em que não comia pão ou massa, não sentia nenhum alívio. Por isso, um dos maiores problemas das pessoas com sensibilidade ao glúten é o grande número de alimentos que contém trigo. Além disso, os sintomas podem demorar cinco ou mais horas para ocorrer. Então, você evita pães, cereais e massas durante todo o dia e não relaciona o cansaço e o inchaço que sente às 7 horas da noite com seu almoço composto de salada Caesar e camarões fritos (mesmo assim, você comeu trigo: os croûtons da salada e a farinha para empanar os camarões). Então, pode ser realmente a sensibilidade ao trigo que pode estar prejudicando seu desempenho. Os seguintes alimentos contêm trigo ou entraram em contato com o trigo durante a fase de produção. Alguns deles vão surpreender você...

> **Carne feita com aditivos:** isso inclui embutidos, bolos de carne, almôndegas, cachorro-quente, salsicha, frango pré-temperado e imitações de frutos do mar.

Alguns produtos com ovos e castanhas: os produtos substitutos dos ovos, os que levam ovos em pó, as castanhas secas assadas e a manteiga de amendoim podem ser vilões do glúten.

Temperos e marinadas: evite os produtos feitos com proteína vegetal hidrolisada e fique atento às marinadas, pasta missô, molho de soja (shoyu), temperos para tacos e comidas preparadas com molhos e caldos. Além disso, verifique o rótulo de seu ketchup – algumas marcas contêm vinagre de malte que vem da cevada.

Alguns laticínios: fique longe dos achocolatados, *milk-shakes*, iogurtes *frozen* ou saborizados, queijos processados e molhos de queijo. Evite definitivamente leite maltado e chocolate em pó com malte.

Queijos processados: afaste-se dos queijos como *cottage* ou *cream-cheese* feitos com goma vegetal, amido e conservantes desconhecidos.

Pães e grãos alternativos: cuidado com denominações como triguilho, cuscuz, trigo duro, trigo selvagem einkorn, fécula, farinha graham, trigo egípcio kamut, semolina, espelta, farelo de trigo, gérmen de trigo, cevada e malte, incluindo os aromas e extratos de malte (o trigo-mourisco ou sarraceno, apesar do nome, não representa problema).

Algumas preparações com frutas e vegetais: evite as batatas fritas das redes de *fast-food* (a mesma gordura é usada para fritar outros alimentos à milanesa), os molhos industrializados para saladas, os recheios de tortas de frutas, batatas à milanesa, vegetais gratinados em cremes e os vegetais envoltos em massa, pois podem conter glúten. A farinha de trigo também pode ser usada na cobertura de frutas secas.

Produtos vegetarianos: tudo, desde os hambúrgueres até os molhos apimentados e também as salsichas vegetarianas, podem conter glúten.

Sobremesas: alguns sorvetes de massa (especialmente aqueles que contêm biscoitos ou *brownies*), glacês, balas, chocolates, *marshmallow*, bolos, biscoitos, donuts são feitos com farinha de trigo, centeio ou cevada. Fique atento aos pudins feitos com trigo, sorvetes e energéticos que contêm estabilizadores de glúten, cones de sorvete e alcaçuz.

Bebidas: evite chá ou café instantâneo, produtos substitutos de café, bebidas achocolatadas e misturas para chocolate quente. Também passe longe de cerveja dos tipos *ale* e *lager*, das bebidas maltadas, das bebidas feitas de cereais e daquelas que usam substitutos de creme de leite.

Carnes fritas e frutos do mar: fique bem longe de tudo que tenha uma cobertura crocante, do frango frito da lanchonete *fast-food* até as lulas à dorê dos restaurantes sofisticados.

Fontes surpreendentes de glúten: corante caramelo, hóstias da comunhão, algumas colas dos envelopes, massinha de modelar (não que você comesse isso, claro!), certos medicamentos de prescrição e cosméticos, como batons e bálsamos labiais também podem ser uma fonte sorrateira de glúten.

Eu entendo que você possa pensar que essa lista de alimentos proibidos torna quase impossível evitar o glúten. Mas não é verdade. Na maior parte dos casos, as comidas dessa lista são artificiais ou alimentos processados. Os ovos de verdade, a carne de verdade e as frutas e vegetais de verdade – estão todos liberados. Além disso, você não precisa eliminar as outras comidas para sempre. *Dê uma chance de duas semanas.* É isso o que sugiro. Evite ingerir glúten por 14 dias e veja como vai se sentir. Então, no 15º dia, teste: coma glúten e espere para verificar como se sente. Mais adiante nesse capítulo, você verá uma variedade de alimentos sem glúten que *você pode comer*. Eu consigo manter uma dieta sem glúten e me alimentar de forma saudável, equilibrada e satisfatória para melhorar meu alto desempenho na carreira de tenista – e, provavelmente, tenho bem menos controle sobre minha agenda e sobre onde vou me alimentar do que você.

Você pode assumir o controle sobre sua dieta e sua vida. Tudo que tem a fazer é tentar.

A doce vida inteligente

Um ponto que meus amigos notaram foi que meus humores e meus níveis de energia equilibraram-se desde que eu mudei de dieta. Sempre fui uma pessoa otimista, mas nos últimos dois anos, mesmo os piores momentos – perder uma partida ou sofrer com os graves problemas respiratórios do meu pai – têm sido mais leves do que se poderia esperar. Eu não me sinto mais tão ansioso, sem foco ou pronto para destruir uma raquete depois de um desapontamento (embora eu me reserve o direito de fazer isso de vez em quando – um pouco de fogo é sempre bem-vindo).

Parte desse equilíbrio se deve à eliminação da confusão mental provocada pelo glúten. Outra parte vem dos exercícios para aprimorar o foco mental sobre os quais vou falar nos capítulos mais à frente. E, finalmente, a terceira parte vem do fato de eu manter estável o nível de açúcares no sangue ao longo do dia: faço isso eliminando os alimentos que causam um pico de açúcar (também chamada de glicose) na corrente sanguínea.

Eliminar os alimentos que aumentam a taxa de açúcar no sangue e causam picos de insulina – o hormônio que regula a glicose – pode melhorar sua saúde de diversas formas. Um: você para de ter altos e baixos alimentares durante o dia que levam aos desejos de comer compulsivamente e "as paixões açucaradas". Dois: o nível de açúcar estável na corrente sanguínea vai desencorajar seu corpo a reservar gordura – algo que ele faz quando há muita glicose disponível para usar. E três: fica muito mais fácil se alimentar com comidas nutritivas como vegetais e carnes magras quando você não é mais escravo daqueles desejos malucos e daquela fome desesperadora. Daqui a pouco falaremos um pouco mais sobre isso.

Agora, quando você pensa em comida que provoca picos de insulina, em geral, estamos falando em doces: balas, sorvetes, mel e biscoitos. E é verdade, esses alimentos aumentam a taxa de açúcar no sangue e disparam a resposta de insulina do seu corpo. Mas sabe o que pode elevar a taxa de açúcar no seu sangue ainda mais depressa?

Trigo. Até o trigo integral.

É assim que funciona: você ingere um alimento com muito carboidrato, seja algo muito doce ou algo que se transforma em açúcar no sangue (glicose) depois de digerido. Seu corpo quer usar a energia da glicose imediatamente, mas a maioria das pessoas não precisa dessa energia rápida porque não vai entrar em quadra para disputar um troféu com Roger Federer na próxima hora.

Então, surge um problema: seu corpo tem que retirar o açúcar da corrente sanguínea de alguma forma, pois é corrosivo para os tecidos (é por isso que os diabéticos, que não contam com um bom sistema de controle do açúcar no sangue, estão sujeitos à cegueira, danos neurológicos e doenças cardíacas). Assim, seu corpo libera o hormônio insulina, que aciona as células do seu fígado e dos músculos, e coloca para funcionar as células de gordura para que retirem a glicose do sangue e a armazenem.

Quanto mais alta a taxa de açúcar, mais insulina você vai precisar e mais gordura você terá armazenada. É um círculo vicioso que faz com que os receptores de insulina de seu corpo se tornem menos sensíveis ao longo do tempo, levando o pâncreas a produzir mais hormônios para realizar o mesmo trabalho. Esse é o início da diabetes. Enquanto isso, seu corpo está armazenando gordura – grande parte dela dentro e em volta do seu centro metabólico: seus órgãos vitais ou suas vísceras. A chamada gordura visceral é um tecido ativo que libera toxinas e causa inflamação nas partes mais importantes do seu corpo para manter (ou não) a saúde a longo prazo. Essa gordura invade e inibe as funções do seu fígado e do seu coração.

O que acontece quando você não come os alimentos que provocam os picos de insulina?

O seu açúcar sanguíneo permanece estável. Você não tem mais aqueles altos e baixos e os desejos de comer muitos alimentos doces. Seu apetite para de dar esses saltos porque os alimentos que está ingerindo – muita proteína, muita fibra e muitos nutrientes – mantêm você satisfeito por mais tempo. Seu corpo não prejudica a si mesmo com excesso de glicose, detonando seu pâncreas e estocando gordura nas vísceras. E seu cérebro também não sofre os altos e baixos daquela montanha-russa de energia.

Seu sistema orgânico está saudável e devidamente abastecido. Você se sente melhor e pode enfrentar suas metas físicas com mais disposição e foco, o que torna o seu treinamento – físico e mental – muito mais eficiente.

O trigo e o índice glicêmico

Uma forma de acompanhar a capacidade dos alimentos de causar picos de insulina é o índice glicêmico. Criado há mais de 30 anos, isso é crucial para os diabéticos e inacreditavelmente útil para quem quer controlar sua resposta de insulina. Quanto mais depressa um alimento eleva sua taxa de glicose no sangue (e, consequentemente, a resposta de insulina), mais alta é sua classificação no teste. O índice vai de zero (sem resposta de insulina) a mais de 100 (as batatas para fritar batem em 111). Como você pode adivinhar, assim que um alimento passa de 50 no índice, você está falando de comida açucarada.

Aqui está a parte surpreendente: uma porção de alimentos ditos "saudáveis" tem um índice glicêmico mais alto do que comidas que são universalmente chamadas de pouco saudáveis. Em especial, os produtos de trigo aumentam a glicose no sangue mais depressa do que o açúcar puro do seu açucareiro.

Com base em informações publicadas pela American Diabetes Association e pela Faculdade de Medicina de Harvard, a seguir, apresento uma comparação entre o índice glicêmico de alguns alimentos:

Produtos derivados do trigo	Índice glicêmico
Pão de trigo integral	71
Creme de trigo instantâneo	74
Cereal com passas e castanhas	75
Trigo tufado para café da manhã	80
Pretzels assados no forno	83
Pizza com parmesão e molho de tomate (uma tradição por anos na família Djokovic)	80

Alimentos "açucarados"	Índice glicêmico
Mel	61
Sacarose (açúcar de mesa)	65
Laranja	40
Pêssego em calda light	40
Batata chips	51
Sorvete cremoso normal	57
Coca-Cola	63
Barra de chocolate Snickers	51

Como você pode ver, o pão de trigo integral eleva o açúcar no seu sangue quase 50% mais depressa do que uma barra de Snickers! Por quê? A principal razão é a forma com que os carboidratos do trigo são digeridos[5]. Diante do glúten e dos picos de açúcar no sangue, você está em frente a uma dupla mista vinda do inferno. E está sozinho do outro lado da rede. Assim que você elimina o trigo da sua dieta, os efeitos colaterais do glúten desaparecem, claro, e você também perde peso. Eu credito isso à melhor digestão e ao melhor controle do açúcar no sangue.

Eu evito *todos* os disparadores de insulina e isso quer dizer não apenas o trigo, mas também os açúcares e os produtos adocicados como chocolate e refrigerante. Como resultado, tenho uma dieta bem simples: vegetais, feijões, carne branca, peixe e frutas. A maioria dos alimentos é natural e não foi processada. Você vai descobrir que, depois de cortar o trigo e os consequentes picos de glicose, resistir aos outros alimentos adocicados se torna muito mais fácil.

---

[5] O carboidrato primário do trigo, a amilopectina, é quebrado pelo corpo mais depressa e de modo mais eficiente do que os outros carboidratos. Embora a amilopectina ocorra em outros alimentos, a versão específica presente no trigo é realmente digerida e convertida em glicose mais facilmente do que as demais. Em resumo, é como um trem expresso para a glicose.

> **Bom... o que acontece se você cortar um ou todos esses alimentos?**
>
> Vamos dizer que você coma alimentos sem glúten por duas semanas. O que você pode esperar? Dependendo do tamanho da importância do trigo em sua dieta – e, lembre, uma pessoa média retira 20% das calorias do trigo que ingere –, pode ser que sinta alguns sintomas de abstinência. Você vai ter que lidar com isso por duas semanas: não vá ao shopping sentir o aroma das rosquinhas de canela. Você estará se torturando. Planeje suas refeições com alguns dias de antecedência para não se deixar ficar com muita fome e acabar agarrando um sanduíche no desespero.
>
> Acredite em mim. As recompensas virão depressa, e os desejos passarão. Para mim, cortar o glúten foi como me livrar de um cobertor de lã pesado e molhado jogado sobre todo meu corpo. Perdi peso. Eu me senti mais leve e com uma arrancada mais veloz. Minha mente estava mais clara. Depois de duas semanas, eu não queria mais retroceder.
>
> De vez em quando, acidentalmente, você vai ingerir um pouco de glúten e nesse momento vai realmente perceber que seu corpo já começou a recusar aqueles alimentos. Vai se sentir lento, enjoado e começar o dia confuso com todos os sintomas de uma ressaca. É assim que seu corpo faz você saber que não quer mais – ou não precisa mais – daqueles alimentos.
>
> Ouça o seu corpo.

Mais uma observação importante sobre o açúcar, especialmente quando se trata de pessoas ativas e atletas: como você verá no próximo capítulo, eu ainda consumo açúcar na minha dieta. Mas é uma forma bem específica de açúcar – a frutose, um açúcar natural encontrado nas frutas e no mel. Também me mantenho vigilante em relação à quantidade consumida. Minha meta, enquanto estou treinando ou jogando uma partida, é manter estável o nível de açúcar no sangue. Não posso ter picos glicêmicos durante a competição.

Minha sugestão para você é cortar ao máximo o açúcar de sua dieta. É bem simples: quanto menos açúcar você consome, menos insulina produz e menos gordura seu corpo vai estocar. Se você é ativo e queima a energia armazenada, melhor ainda.

De novo, por que não tentar duas semanas para ver como você se sente?

O fator derivados do leite

Embora meu teste ELISA tenha mostrado sensibilidade ao glúten e também aos laticínios, foi importante monitorar individualmente cada mudança na minha dieta. Por sugestão do doutor Cetojevic, comecei cortando o trigo por duas semanas. Foi uma mudança de vida para mim. Eu me senti tão mais leve e mais forte que decidi dar o próximo passo: eliminar também os derivados do leite da dieta.

Agora eu comecei realmente a surpreender os outros: estava perdendo peso depressa, e minha família passou a se preocupar. Como eu teria energia? Eu não precisava dos laticínios para ingerir proteína? E, claro, como eu poderia virar as costas para as pizzas?

Posso recomendar a todo mundo os benefícios de uma dieta sem glúten – mesmo que você não seja sensível ao glúten, os picos de insulina causados pelo trigo são verdadeiramente pouco saudáveis. Mas vale a pena experimentar eliminar também os laticínios, porque muitas pessoas são intolerantes à lactose.

Essa é uma condição comum em que o sistema digestivo não consegue quebrar a lactose, um tipo de açúcar existente nos produtos derivados do leite. Os sintomas não são engraçados: estufamento, gases, cólicas intestinais e, às vezes, vômito. Se você cortar o glúten por duas semanas e ainda sentir algum desses sintomas, experimente eliminar também os laticínios – para começar, leite, queijo e sorvete.

Se você abandonar realmente os derivados do leite, seja cuidadoso: uma das principais questões para quem não pode comer laticínios é se certificar de ingerir a quantidade suficiente de cálcio para fortificar seu corpo (os ossos, em particular). Eu não sou fã de suplementos alimentares. Eu prefiro alimentos integrais e as fontes naturais de nutrientes. Algumas fontes alternativas de cálcio são brócolis e os peixes como o atum e o salmão. É aí que busco minha dose de cálcio; eu adoro esses alimentos. Além disso, o leite de amêndoas é muito rico em cálcio.

Algumas pessoas intolerantes aos laticínios podem comer derivados do leite que tenham sido fermentados, porque o processo reduz a quantidade de lactose no alimento. Valem todos os produtos que tenham o termo "cultura viva" no rótulo. Se for esse seu caso, tenha cuidado: o iogurte é um bom exemplo de laticínio com cultura viva, mas alguns têm tanta adição de açúcar que praticamente fazem tanto mal quando uma barra de doce. Leia o rótulo antes de comprar.

Nesse ponto, vale a pena observar: os laticínios, embora sejam uma boa fonte de proteína, não são necessariamente um alimento com pouco carboidrato. Eles não se comparam com as barras de chocolate e os refrigerantes, mas você sabia que um copo de 250 mililitros de leite com 1% de gordura tem 102 calorias, sendo que a metade vem do açúcar?

Digo isso novamente: metade das calorias de um copo de leite de 250 mililitros com 1% de gordura vem do açúcar.

"Parece loucura. Como se chega a esse número?", você pode perguntar. Chega-se da seguinte forma: os nutricionistas calculam as calorias de um alimento com base na quantidade de proteínas, gorduras e carboidratos. Cada grama de proteína equivale a quatro calorias. Os carboidratos representam o mesmo valor por grama. Um grama de gordura, por outro lado, contém nove calorias. Então, você pega o total de proteínas e carboidratos e multiplica por quatro; e os gramas de gordura e multiplica por nove. Somando os dois resultados, você terá o número de calorias de uma porção. Com base nessa fórmula, você pode olhar para o rótulo de qualquer alimento e descobrir quantas calorias derivam do açúcar naquela porção.

Portanto, vamos dar uma olhada em um copo de leite com 1% de gordura. De acordo com o rótulo definido pelo Departamento de Agricultura dos Estados Unidos, a porção de 250 mililitros contém:

Proteína: 8 gramas. Multiplique por quatro e você terá 32 calorias vindas da proteína.

Gordura: 2 gramas. Multiplique por nove e você terá 18 calorias derivadas da gordura.

Carboidratos: 13 gramas (de açúcar). Multiplique por quatro e você terá 52 calorias resultantes do açúcar.

Total de calorias: 102

E a metade desse total vem do açúcar presente no leite. Eu não estou dizendo que você não deveria comer laticínios ou beber leite. Estou dizendo que *eu não deveria*. O que nos leva à próxima seção e a um conceito essencial em qualquer boa dieta: moderação.

À primeira vista parece que não sobrou nada para comer. Mas, na verdade, existe um mundo inteiro de alimentos frescos, saudáveis e deliciosos lá fora – alguns podem ser consumidos em grande quantidade e outros em pequenas doses. Logo você descobrirá que está se alimentando melhor do que nunca – e realmente desfrutando de tudo que come.

Os alimentos que abastecem você

Tudo na vida é equilíbrio e moderação: nos alimentos, nos exercícios, no trabalho, no amor, no sexo, em tudo (OK, talvez um pouco menos de moderação no sexo, mas você entendeu o que estou querendo dizer).

Uma vez, ouvi um ditado que dizia que existem "quatro alimentos brancos mortíferos": pão branco, açúcar branco, sal branco e gordura branca. Isso não é exatamente verdade – eu já mostrei, por exemplo, que o pão integral é tão prejudicial quanto o pão branco. Mas a melhor diretriz, não importa de que tipo seja seu corpo, é evitar esses quatro alimentos o máximo possível. E, quando ceder à tentação, coma-os com moderação.

Na verdade, eu tento ser moderado com todos os alimentos que como, até mesmo os bons. E, como você verá no capítulo a seguir, em minha opinião, *como* e *quando* você se alimenta é tão importante quanto *o que* você come. No entanto, descobri que, aonde quer que eu vá, busco comer os seguintes alimentos:

> **Carne, peixe e ovos:** essas parecem ser as escolhas mais óbvias, quando você corta todo o trigo e o açúcar. Gosto de frango, peru e todos os tipos de peixes. Como uma dessas opções, pelo menos, uma ou duas vezes por dia. Quando você observa todas as diferentes formas de preparo de carne e peixe, percebe que existem literalmente dezenas de receitas a escolher. Embora eu coma carne vermelha, eu prefiro focar minha dieta em peixe e aves para reduzir a gordura o máximo possível.

Qualquer que seja o tipo de carne que você coma, certifique-se de que é de boa qualidade. Em relação aos peixes, por exemplo, escolha os pescados e não os criados em tanques. Para as carnes, prefira boi alimentado com pastagens e galinha caipira. Diversos estudos já demonstraram bem que, quanto mais natural o ambiente, mais nutritiva é a carne do gado e dos peixes.

Quanto aos ovos, não os como muito, porque não ingiro muita proteína pela manhã, como você verá no meu plano de dieta apresentado na página 102. Mas, no final do dia, os ovos podem ser uma refeição rápida e saudável, se você não estiver com vontade de cozinhar carne.

Vegetais de baixo carboidrato: os vegetais são a fonte primária natural de basicamente todos os nutrientes que o ser humano necessita: vitaminas, minerais, fibras e antioxidantes. Mas nem todos os vegetais são iguais.

Alguns são muito ricos em amido e carboidratos – em especial, as raízes como beterraba, batata e nabo, além de outros como a moranga e a abóbora. Como procuro ingerir a maior parte de carboidratos durante o dia para obter a máxima energia, em geral, evito esses vegetais no jantar, quando foco na ingestão de proteínas. Já os vegetais de folha e caule, como salada verde, brócolis, couve-flor, feijão verde, são o que chamo de "neutros". Como não são ricos em carboidratos, eu os como a qualquer hora do dia.

Frutas: eu como frutas, mas de forma controlada para não sobrecarregar meu corpo com açúcar. Então, se você quer manter o açúcar na dieta, o das frutas, que é a chamada frutose, é o melhor tipo. Além disso, as frutas têm nutrientes. Eu gosto especialmente das frutas vermelhas, mas em pequenas porções.

Grãos (sem glúten): eu sempre como quinoa, trigo-sarraceno, arroz integral e aveia. A quinoa e o trigo-sarraceno fazem uma massa saborosa e livre do glúten.

Castanhas e sementes: são melhores cruas, sem tostar. Esses são os alimentos que ajudam a me manter abastecido e cheio de energia ao longo do meu dia de treino. Fornecem proteína sem me deixar pesado e, além disso, são boa fonte de fibras e de gorduras monoinsaturadas. Gosto de amêndoas, nozes, amendoins (que, por falar nisso, você não deve comer cru), sementes de girassol e de abóbora, além de castanhas-do-pará e pistaches.

Óleos saudáveis: eu uso óleo de oliva, de coco, abacate e linhaça sempre que possível.

Legumes: eu adoro grão-de-bico (o principal ingrediente do *homus*) e lentilha. O feijão-preto e o roxinho também são bons – têm bastante fibra e nutrientes. Evite as opções enlatadas que elevam a quantidade de sal ao território do pouco saudável.

Condimentos: a chave é evitar os carregados em açúcar como o ketchup ou o molho barbecue. Mostarda, raiz forte, vinagre, molho de pimenta e wasabi são bastante saborosos. E não esqueça que os molhos devem ser feitos em casa.

Ervas e especiarias: existem muitos temperos para indicar aqui. Use-os para preparar refeições tão saborosas que você nem vai sentir saudade do cestinho de pão sobre a mesa.

Essa foi uma rápida visão do que como. Mas, *como* e *por que* me alimento é grande parte do meu plano de excelência pessoal e profissional. Explicarei esses aspectos no próximo capítulo.

CAPÍTULO 5

MENU DA VITÓRIA

A dieta para melhorar o desempenho mental e físico

A comida é informação.

Se você puder se lembrar dessas quatro palavras, isso vai mudar seu jeito de se alimentar. A comida é a informação que diz ao seu corpo como funcionar.

Caso queira saber o verdadeiro segredo da minha dieta, não me pergunte o que eu como. Pergunte-me *como* eu me alimento. Em minha opinião, o que coloco na boca é somente metade da história. A outra metade é como a comida se comunica com meu corpo, e como meu corpo se comunica com a comida. Quero que meu corpo e minha comida se tornem um só, o mais depressa e eficientemente possível, sem confusão e sem efeitos colaterais.

No meu país, temos um ditado: "A energia vem da boca." Todo alimento que você consome muda seu corpo de algum modo. A comida fala, influencia e direciona seu corpo. Quando você fica alerta a essa comunicação e aprende a facilitar os objetivos desejados, você alcança os melhores resultados físicos e mentais.

É aqui que você entra na nossa conversa.

O que a "slow food" significa para mim

Nós vivemos na cultura do *fast-food*, e isso significa comer rápido. É uma corrida? Alguém vai me dar algum dinheiro se eu terminar primeiro?

Há alguns anos, como parte de minha busca da compreensão dos alimentos, eu fui a um restaurante em Londres chamado Dans le Noir (em francês, "no escuro"). Agora existem vários desse tipo de restaurante ao redor do mundo, que se diferenciam dos outros – não pela comida, mas pela atmosfera. No Dans le Noir, o atendimento é feito em parte por pessoas totalmente cegas e, quando você é servido, come na escuridão.

Não estou dizendo que eles apagam as luzes, e você faz a refeição à luz de velas. Eu quero dizer que o ambiente tem cortinas escuras, você deixa seu celular na porta e se alimenta na mais completa escuridão. Um garçom recebe você em uma antessala, diz quais são as sugestões do cardápio e tira seu pedido. Então, ele pega você pela mão e o guia naquela imersão no escuro, conduzindo você – cego e indefeso – até a sua mesa. Você faz a refeição sem dar nem uma olhadinha no seu prato de comida.

E o sabor da comida é extraordinário. Os sentidos de olfato e paladar estão estimulados, e o sabor explode de um jeito que nunca pensei que fosse possível. Você come devagar e naturalmente, explorando a refeição com seu nariz e papilas gustativas. Essa experiência consolidou na minha cabeça como é importante reduzir a velocidade e resistir à atual mentalidade do *fast-food*.

E isso me leva à regra número um: *coma devagar e conscientemente*.

Como atleta, tenho um metabolismo rápido. Meu corpo exige muita energia, especialmente quando estou disputando uma partida. Por isso, quero digerir os alimentos da forma mais eficiente possível para conservar o máximo de energia. Você deve se lembrar daquela aula de ciências: a digestão requer sangue. Preciso desse sangue quando estou desempenhando em quadra. Se puder ajudar meu sistema digestivo a funcionar melhor e mais rápido, serei capaz de retomar as atividades físicas mais depressa e com mais energia física (falando nisso, é por esse motivo que eu bebo preferencialmente água na temperatura ambiente, nunca gelada. O frio direciona o fluxo sanguíneo para o sistema digestivo para elevar a temperatura do corpo. Isso retarda o processo digestivo).

E quando eu como rapidamente? O resultado é como se eu despejasse comida garganta abaixo. Meu estômago não tem tempo de processar a informação que está recebendo porque os dados são enviados na forma de grandes pedaços de alimento. Quando o estômago não recebe a informação certa na hora certa, a digestão fica mais difícil. Seu corpo não sinaliza que está satisfeito. E você pode comer além da conta. Você também não dá à sua boca o tempo que ela precisa para cumprir sua missão – ou seja, possibilitar que as enzimas da saliva quebrem o alimento antes de chegar ao estômago para que não tenha que realizar esforço dobrado. De novo, aula de ciências: a digestão começa na boca. Quando se mastiga, além de triturar a comida, as enzimas da saliva começam a digestão, e seu estômago tem tempo de se preparar para receber o alimento.

Se como depressa, terei grandes pedaços de comida meio mastigados na barriga, e meu corpo terá que trabalhar mais e usar mais energia para digerir o alimento. Simplificando, eu não darei ao meu corpo os sinais que ele precisa para se tornar um só com a comida ingerida.

Isso pode parecer estranho, mas vou repetir: seu corpo precisa se tornar um só com a comida. Isso é exatamente do que se trata o processo de digestão.

Quando sento para comer, começo com uma breve oração. Não falo com um deus específico ou sigo as diretrizes de uma religião quando rezo. E não rezo em voz alta – é apenas uma conversa que acontece dentro de mim. Quando faço isso, lembro a mim mesmo que existem centenas de milhões – talvez bilhões – de pessoas no mundo atual que estão preocupadas se terão o que comer. Viver uma guerra, provavelmente, me ajudou a entender aquilo que não teria aprendido de outra forma, pois eu nunca acho que a comida diária está garantida. Sempre me lembro de que devo pensar no alimento como uma bênção.

Ao me alimentar, não vejo televisão. Não checo meus e-mails, não mando mensagens de texto, não falo no telefone ou entro em conversas difíceis. Quando ponho uma porção na boca, descanso o garfo na borda do prato e me concentro na mastigação. Quando mastigo, o processo de digestão já está começando. As enzimas da minha saliva se misturam à comida e assim, quando chega ao meu estômago, já é um pedaço completo de "informação". É como quando você dá as informações para alguém chegar à sua casa; quanto mais detalhes fornecer, mais facilmente a pessoa chegará lá e menos tempo gastará tentando descobrir o caminho. Quero que meu corpo não tenha que descobrir nada, porque sei quanto isso custa ao meu estômago e ao meu nível de energia na próxima etapa do dia. Isso nos leva à minha segunda regra.

Regra número dois: *dê ao seu corpo instruções claras.*

O que quero que meu corpo faça com a comida que estou lhe dando?

Nossos corpos usam os alimentos com dois propósitos básicos: primeiro, para obter energia, manter nossas pernas se movendo, nosso coração batendo e nossas raquetes balançando. Os carboidratos são a fonte primária de energia para as nossas atividades diárias.

Segundo, para tratar e curar: para desfazer os danos de cada dia, seja por um longo período de treino ou por um dia estressante no escritório. Nossos corpos usam a proteína (assim como outros nutrientes) para reparar os músculos, produzir novas células sanguíneas e repor os hormônios.

Mas, como se fosse um funcionário, você tem que dar ao seu corpo uma lista de prioridades: "Primeiro, quero que faça isso. Então, quero que faça aquilo." Durante o dia, quero que meu corpo esteja o mais energizado possível. Não quero que ele roube tempo de sua agenda sobrecarregada para fazer nada mais, mesmo que a tarefa seja importante. É por isso que a maior parte das calorias que consumo na primeira metade do dia, até o almoço, é de carboidratos. Quando como carboidratos e pouca proteína, estou dizendo ao meu corpo: "Preciso de energia. Faça o necessário para isso." Eu alimento meu corpo com macarrão sem glúten, arroz, mingau de aveia e outros alimentos sem glúten, fornecendo carboidratos para a energia diária.

De noite, não preciso de energia. Estou exausto e quero um bom sono. Assim, no jantar, eu digo ao meu corpo: "Quero que você conserte os estragos que fiz. Por favor, pegue essa proteína e faça o que for preciso para isso." É quando a carne bovina, frango e peixe entram em cena com força total.

Como mencionei no Capítulo 4, as frutas e vegetais são grande parte da minha dieta e atendem a diferentes necessidades em diversos momentos do dia. No café da manhã, como muitas frutas vermelhas e outras frutas doces, porque quero essa energia de rápida combustão. No almoço, ainda consumo frutas e vegetais de todo tipo. Mas, no jantar, cuido para reduzir os carboidratos. Portanto, ainda como saladas, vegetais verdes folhosos e outros com grande quantidade de água, mas evito a maioria das frutas (especialmente, as de polpa branca como maçãs e peras) e também as raízes, que têm alta presença de carboidratos[1].

---

[1] As frutas e vegetais com maior presença de carboidratos incluem: batatas (37 g por batata média); bananas (31 g cada); pera (27,5 g cada); uvas (27 g por xícara); manga (25 g por xícara); cenouras (25g por xícara); beterraba (17 g por xícara) e cebola (15 g por xícara). E fique atento às frutas desidratadas: as uvas passas têm estonteantes 115 gramas de carboidratos por xícara.

Ao me alimentar dessa maneira, eu garanto que meu corpo conte com os nutrientes necessários, mas também asseguro que receba as informações de que precisa. No plano alimentar que apresentarei a seguir, você verá que essa maneira de comer é realmente bem simples.

Regra número três: *mantenha-se positivo.*

Há outra razão para eu não ver televisão enquanto me alimento: poucos assuntos ali são positivos.

Eu acredito que a comida pode transmitir energia positiva ou negativa, dependendo não apenas dos alimentos que você consome, mas também da maneira com que lidamos com eles. Antes que eu explique, lembre-se do que já disse: "Mantenha a mente aberta." Uma vez, vi um teste *surpreendente* relacionado à medicina oriental. Um pesquisador encheu dois copos com água – o mesmo tipo de água e a mesma quantidade. Com um copo, ele compartilhou energia positiva: amor, alegria, felicidade e todas as bênçãos da vida. Ele nutriu aquela água.

Para o outro copo, ele enviou toda sua energia negativa: raiva, medo, hostilidade. Ele amaldiçoou aquela água.

Então, deixou os dois copos de água parados sobre uma mesa por diversos dias.

A diferença entre as duas porções de água depois de alguns dias era imensa. A água que recebeu influência e pensamentos negativos estava esverdeada, porque as algas proliferaram nela. O outro copo ainda estava com a água limpa e transparente[2].

Parece maluquice, certo? Eu sei. Mas, em minha opinião, esse teste é prova de que tudo no mundo compartilha a mesma energia – as pessoas, os animais, os elementos, tudo.

Incluindo a comida. *Especialmente*, a comida.

Regra número quatro: *busque a qualidade, não a quantidade.*

---

[2] Um relatório do doutor Masaru Emoto, publicado em 2004 no *The Journal of Alternative and Complementary Medicine*, incluiu um ensaio fotográfico sobre a formação de cristais em água congelada contida em diversas fontes. O estudo apresentava fotos de água congelada em copos embrulhados em papel impresso com palavras positivas e negativas. A energia positiva parece ter resultado em cristais de gelo bem formados e translúcidos, enquanto a água exposta à energia negativa apresentava cristais escuros e malformados. FONTE: *The Journal of Alternative and Complementary Medicine.* 2004; 10(3): 19-21. *Healing with Water.* Emoto M.

No mundo dos esportes, os atletas sempre têm medo de não ter o bastante – bastante combustível, bastante hidratação, bastante nutrição. Como a maioria dos atletas, eu costumava me preocupar por não ter bastante comida. "E se eu me esgotar?", eu perguntava constantemente para mim mesmo. "Terei bastante energia para aguentar um dia inteiro de treino?" Estava sempre comendo um pouco mais – eu continuava a comer mesmo quando me sentia satisfeito, empurrando garganta abaixo uma "barra de energia" repleta de conservantes e açúcares durante os treinos. Consequentemente, empurrava muita comida para o estômago, e havia muita informação a ser processada. Quando cortei essas fontes nutricionais de alta caloria, muitas pessoas ao meu redor duvidaram do que eu estava fazendo. Nada de batidas proteicas com soro de leite? Nada de grandes pratos de massa? Nada de pizza? Eles me avisaram: você jamais terá a força e a energia de que precisa!

Mas eu havia aprendido que é muito mais importante focar na qualidade do que se come, do que se está se alimentando muito ou pouco.

E não estou falando apenas das comidas "saudáveis". A maioria de nós sabe como é a comida saudável. Mas há diferentes graus de comida saudável. Há muita diferença entre um tomate fresco e aquele molho feito de tomates processados e imersos em conservantes. Tento ao máximo comer alimentos orgânicos, não processados. A energia obtida com essa comida é mais limpa e, além disso, o processo digestivo é mais rápido. Pense na última vez em que você esteve em um hotel ou *spa*. Havia, provavelmente, uma tigela cheia com maçãs – brilhantes, bonitas, perfeitas. Na verdade, ali ninguém as come; as frutas ficam lá por dias. Semanas. Parece que elas nunca estragam. Quando você pensa nisso é perturbador. Grande parte de nossos alimentos é pulverizada com pesticidas e agentes antifúngicos, e não sabemos o que essas substâncias realmente fazem quando entram em nossos corpos. O que elas *falam* exatamente para nosso corpo? Uma porção de estudos já concluiu que uma das instruções que dão ao nosso corpo é ganhar peso[3].

---

[3] Nove entre dez dos pesticidas mais comuns são conhecidos como "disruptores endócrinos" e têm sido relacionados com bastante frequência ao ganho de peso. Uma pesquisa realizada na Universidade da

A princípio, tudo é orgânico, porque obtemos a comida da terra. Mas, então, nós tratamos os alimentos com pesticidas, antibióticos e, especialmente, com nutrientes alterados pela engenharia. Alguns são geneticamente modificados, como nosso trigo. Eu compreendo – isso é um negócio. Os produtores querem que os alimentos pareçam maiores e melhores. Querem vender cada vez mais. Eles estão focados na quantidade em vez da qualidade.

A comida orgânica é mais cara, claro, assim como o peixe pescado e não produzido em criadouros ou como o gado que se alimenta no pasto verde ou como as galinhas caipiras. Para mim, esses produtos valem o seu preço. Nem todo mundo dispõe de dinheiro para gastar em "alimentos especiais", mas se você pode, eu lhe diria: faça isso. Um jeito infalível de tornar a comida orgânica mais acessível é fazer o que eu faço: cozinhar. Mesmo quando, a cada duas semanas, estou em outra cidade (e, de vez em quando, em outro país!), eu cozinho quase todas as minhas refeições.

Tento encontrar um hotel que tenha uma cozinha no quarto, e, então, nós preparamos nossas próprias comidas. Minha família sempre viaja comigo, e minha namorada ou minha mãe asseguram que a geladeira e as prateleiras tenham um estoque de comida saudável. Dessa forma, posso controlar os ingredientes, as porções e os horários. Também mantenho muita comida de alta qualidade por perto para o restante das minhas necessidades: frutas frescas na geladeira, castanhas, sementes, água de coco, óleo de coco, abacate, peixe fresco... mais sobre esse assunto – e sobre os pratos que preparo – logo a seguir.

Você é o que come

Minhas mudanças dietéticas – e o sucesso que alcancei desde que as adotei – receberam muito destaque na mídia. Quando creditei minhas recentes vitórias à alimentação, as pessoas começaram a prestar

---

Carolina do Norte mostrou que, quando somos expostos à pesticidas na infância, essas substâncias apertam realmente um botão genético que nos predispõe ao aumento de peso. *The New American Diet: How Secret "Obesogens" Are Making Us Fat*, de Stephen Perrine e Heather Hurlock apresenta muitas informações adicionais sobre os pesticidas e outras substâncias químicas que nos fazem engordar.

atenção e a experimentar. Agora, quando estou disputando um torneio, vou ao refeitório e o cozinheiro, ao me ver, já coloca para esquentar meu macarrão sem glúten. Há alguns anos, eu era o único jogador que comia assim. Hoje em dia, vejo muitos tenistas seguindo a mesma orientação dietética. Não sei se é por minha causa, por causa da própria intolerância deles ao glúten ou apenas porque perceberam que a dieta sem glúten facilita a digestão (como disse antes, o glúten é como uma cola; o alimento com glúten fica grudado e embolotado no estômago e demora mais tempo para ser digerido). Mas de um ponto tenho certeza: quando comecei a comer sem glúten, não via outro único jogador que fizesse isso. Agora eu vejo – homens *e* mulheres.

As palavras circulam tão facilmente hoje em dia. Acho que a atenção está aumentando, não apenas para a dieta livre de glúten, mas, em geral, em relação aos alimentos mais saudáveis e a uma nutrição melhor. Mais do que nunca, as pessoas sabem o que é bom para elas e o que não é. As pessoas percebem que a comida processada e rápida não está funcionando e que a "conveniência" desses maus alimentos torna a vida delas mais estressada e não menos.

Mas há ainda uma contradição. Eu vejo e aposto que você também sente isso. Saber e fazer são duas ações diferentes. As pessoas sabem o que deveriam comer, embora ainda façam a escolha menos saudável.

É por isso que é tão importante encarar a comida como informação. Pergunte a si mesmo: *Como me sinto quando como algo pouco saudável?* Não imediatamente, quando ainda tem o sabor doce/salgado/gorduroso na boca. Depois. Quando você come um mau alimento, seu corpo sabe e manda um sinal que grita: "Essa comida é nojenta, e você vai pagar por isso!" Alguns desses sinais? Você se sente letárgico ou "blah" ou tem indigestão. Talvez tenha dor de cabeça ou se sinta um pouco confuso.

Se você mantém uma dieta pouco saudável por muitos anos, seu corpo envia sinais cada vez mais sérios. Você engorda. Aumentam suas chances de ser diagnosticado com diabetes, câncer ou doenças cardíacas. Isso também é seu corpo falando com você. Quando não gosta do que vê no espelho e de como se sente, isso é informação: seu corpo está falando para você mudar ou haverá mais problemas.

Agora pergunte a si mesmo: *Como me sinto quando como algo que me faz bem?* Para mim, a resposta é simples: eu me sinto ótimo. Foi isso o que aprendi e o que torna a minha escolha fácil.

"Então,... quanto você come?"

Eu ouço muito essa pergunta, e ela é muito boa. Isso nos leva de volta ao meu ponto inicial sobre cada pessoa ser única. A maior probabilidade é que as suas necessidades nutricionais sejam muito diferentes das minhas. Mas há um fator verdadeiro para todos nós: se você comer demais, vai se sentir péssimo.

Como a maioria dos atletas profissionais, eu costumo me preocupar em ter energia suficiente para consumir em quadra. Mas ao tentar me assegurar de estar comendo "o bastante", eu estava me sabotando. Percebia isso assim que pegava a raquete; não era dinâmico e leve o bastante em quadra porque ainda não havia digerido minha comida. Eu tinha bombardeado meu estômago com muita informação.

Para as pessoas comuns que não são atletas, provavelmente, o medo é o oposto: *estou comendo demais?* Como resultado, ficam muito agitadas em torno da comida, medindo porções e contando calorias.

Bom, mas eu sou um atleta profissional. Se quiser, posso contratar alguém para controlar minhas refeições e monitorar as calorias para mim. Só que ninguém pode ser um especialista melhor sobre minhas necessidades nutricionais do que eu. Da mesma forma, ninguém pode compreender melhor suas necessidades nutricionais do que você mesmo.

Comer devagar me ajudou a aprender exatamente quanto devo comer. Isso pode parecer muito vago: "Sigo minha sensação." Mas faz sentido, e você vai perceber isso agora mesmo. Não há momentos do dia em que você sente que precisa de combustível? Você não sabe imediatamente quando comeu demais? Ou quando se encheu com péssimo combustível? Claro que sim. Se você apenas prestar um pouco mais de atenção a essas sensações, se comer mais devagar, focado na sua comida, desenvolverá um verdadeiro "sexto sentido" sobre quanto precisa comer.

Portanto, quando ouvir histórias de atletas de elite se gabando da quantidade enorme de calorias que ingerem durante os treinos, bom, isso funciona para eles. Então, nem tenho ideia de quantas calorias eu como. E aposto que o melhor que você pode fazer é apenas "ter uma ideia" de seu próprio consumo. Eu prefiro muito mais conhecer meu corpo e respeitar o combustível que lhe ofereço.

Um dia na minha dieta

Agora, eu vou apresentar a você um dia normal da minha alimentação. Mas, antes de mais nada, tenho que dizer o seguinte: isso não é um plano que levo a ferro e fogo. Todo exemplo que dou aqui é variável; há dias que sigo e há dias que não. Outra vez, o assunto aqui é como eu ouço e entendo o meu corpo. Minha esperança é que você perceba dois fatores de toda essa conversa sobre comida: 1) como permaneço constantemente focado na minha ingestão de comida tomando por base como me sinto; e 2) um *grande* número de ideias para que você mesmo experimente.

Voltando ao Capítulo 3, você deve se lembrar de que mencionei uma teoria da medicina chinesa que propõe que determinados órgãos do corpo preferem certos alimentos em certas horas. Gosto dessa teoria e tento segui-la. De vez em quando, tenho dificuldades com isso. Estou sempre viajando por causa do tênis, sempre cruzando fusos horários e sempre me ajustando a novos lugares e novas culturas. Mantenho essa teoria na cabeça e faço o melhor possível.

No entanto, chego a ser religioso em relação às quatro regras que descrevi antes:

Coma devagar e conscientemente;
Dê ao seu corpo instruções claras;
Mantenha-se positivo;
Busque a qualidade, não a quantidade.

A seguir, mostro como elas funcionam na minha dieta.

Bom dia, mel

A maioria de nós tem rituais matinais, mas o meu provavelmente é mais rigoroso do que o das outras pessoas.

Minha primeira ação ao sair da cama é tomar um copo de água na temperatura ambiente. Eu acabei de passar oito horas sem beber nada, e meu corpo precisa de hidratação para começar a funcionar no auge. A água é um elemento crítico no processo de reparação do corpo. Quando você está desidratado, está boicotando esse aspecto da manutenção corporal.

Como disse antes, evito tomar água gelada por uma razão. Minha programação diária é de treino e prática constantes. A maioria dos dias eu começo com uma série de alongamentos ou movimentos de ioga (você vai aprender mais sobre isso no Capítulo 7). Todo tipo de exercício físico, até mesmo o alongamento, requer um bom fluxo sanguíneo para os músculos. Quando você bebe água gelada, o corpo precisa enviar sangue adicional ao sistema digestivo para esquentar o líquido até 37° Celsius. Há alguns benefícios nesse processo – para esquentar a água, o corpo gasta umas calorias a mais. Mas também atrasa a digestão e retira o sangue de onde quero que esteja – nos meus músculos. Portanto, pela manhã e ao longo de todo o dia, eu bebo, preferencialmente, água morna.

(Se você já leu bastante sobre dietas, com certeza, já ouviu dizer que a digestão lenta é boa – você quer os alimentos parados no seu estômago para evitar sentir fome depressa. Essa pode ser uma boa ideia, caso você vá se sentar para assistir a uma partida de tênis de quatro horas de duração. Não é boa ideia, porém, se é você quem vai disputar a partida. Nesse caso, a digestão vagarosa quer dizer que você vai se sentir lento e preguiçoso, sem muita vontade de se movimentar, isto é, menos disposto aos exercícios e com mais sensação de estufamento e fadiga. Então, não fique tão animado em seguir uma dieta que pretendia "manter você cheio".

Minha segunda ação vai realmente surpreender você: como duas colheres de sopa cheias de mel. Todos os dias. Tento conseguir mel de manuka, que é produzido na Nova Zelândia. É um mel mais escuro, feito por abelhas que se alimentam nas flores da árvore de manuka (também chamada de *tea tree*, "árvore do chá"), e tem mostrado propriedades bactericidas melhores do que as do mel comum.

Sei o que você está pensando: mel é açúcar. Bem, sim, é. Mas seu corpo precisa de açúcar. Em particular, necessita de frutose, o açúcar encontrado nas frutas, em alguns vegetais e, especialmente, no mel. O que você não precisa é de sacarose processada, aquilo que está no chocolate, no refrigerante e nas bebidas energéticas, que lhe dá um salto instantâneo de açúcar no corpo, e você se sente: "Uau!"

Eu não gosto de "Uau!". "Uau!" não é bom. Quando você tem um "Uau!" agora, isso quer dizer que terá um "Ué?" em 30 minutos. O açúcar ruim faz sua glicose sanguínea subir e descer, subir e descer. Você não consegue desempenhar como atleta desse jeito.

O açúcar bom, como a frutose natural encontrada em frutas e no mel, não é tão enlouquecedor do índice glicêmico. Na verdade, como você leu no Capítulo 4, o mel causa verdadeiramente menos pico de insulina do que a torrada de trigo integral que a maioria das pessoas "conscientes e saudáveis" costuma comer.

Depois de um pouco de alongamento e de alguns exercícios calistênicos* leves, estou pronto para o café da manhã. Normalmente, como o que chamo de Tigela da Força, uma tigela de tamanho normal em que preparo uma mistura de:

- Granola ou aveia sem glúten
- Uma mão cheia de castanhas misturadas – amêndoas, nozes, amendoins
- Um pouco de sementes de girassol ou de abóbora
- Uma porção de frutas de acompanhamento ou picadas na tigela, como banana e todos os tipos de frutas vermelhas
- Uma pequena colherada de óleo de coco (gosto por causa dos eletrólitos e minerais)
- Leite de arroz, leite de amêndoas ou água de coco

Como você vê, é possível brincar em torno dos diversos ingredientes e das quantidades. Uma tigela com esses alimentos geralmente é o bastante para mim. Se achar que preciso de algo mais – raramente

---

* Exercícios calistênicos são aqueles simples e ritmados, quase sem nenhum equipamento, usados para desenvolver a força e a flexibilidade corporais, com movimentos como balanços, saltos, giros e chutes, usando o próprio peso do corpo como resistência. (N. T.)

eu penso assim –, então, espero cerca de 20 minutos e como uma fatia torrada de pão sem glúten, atum e um pouco de abacate. Adoro abacate; é uma das minhas frutas prediletas.

Há uma razão específica para esperar 20 minutos antes de comer alguma proteína mais pesada depois de uma refeição "normal" como aquela. Como você já deve estar adivinhando agora, isso está relacionado à digestão e à alimentação vagarosa. Seu estômago digere os carboidratos e as proteínas de forma diferente. Quando você está digerindo proteínas de carne e carboidratos ao mesmo tempo, o processo é automaticamente retardado e você está tornando a vida do seu estômago mais difícil, porque está fazendo com que use mais energia. Então, procuro dar tempo para meu estômago se ajustar. É como enviar primeiro sinais de carboidratos para meu estômago e mais tarde mandar a informação sobre a proteína mais pesada.

Lembre-se: comida é informação.

Durante o meu dia...

Para mim, um almoço típico é macarrão sem glúten com vegetais. A massa é feita com quinoa e trigo-sarraceno. Em relação aos vegetais, a seleção é vasta. Rúcula, pimentões assados, tomates frescos, às vezes, pepino, muito brócolis, muita couve-flor, feijões verdes, cenoura. Combino os vegetais com o macarrão e um pouco de azeite de oliva e uma pitada de sal. Misturar e combinar funciona bem comigo. O que não como são os molhos pesados, como os feitos com tomates. O molho de tomate – mesmo aquele que sua mãe faz em casa – começa, tipicamente, com ingredientes enlatados e isso quer dizer aditivos químicos. Além disso, os molhos pesados retardam a digestão.

(Devo dizer que, nos dias em que terei partida, sei que vou treinar até o meio-dia e depois entrarei em quadra por volta das três da tarde. Então, almoço proteína pesada como base para o jogo. Mas, de modo geral, tudo o que preciso é de um prato de macarrão.)

Durante um dia normal, preciso de algum combustível para seguir adiante com o treino e a prática. Eu faço o seguinte, embora o que necessito varie muito de acordo com o momento.

Ao longo da prática técnica, eu consumo duas garrafas de uma bebida energética que contém extrato de frutose. Não é muito pesado no estômago e consegue me reabastecer. Os ingredientes que busco nessa bebida são eletrólitos, magnésio, cálcio, zinco, selênio e vitamina C. O magnésio e o cálcio auxiliam nas funções cardíacas e musculares e previnem as cãibras. Caso o dia esteja úmido e quente, também consumo uma bebida de hidratação com eletrólitos porque perco muito líquido.

A hidratação é um fator muito importante ao longo do dia, claro. Não importa aonde eu vá, sempre levo um pouco de água comigo. Eu já fiquei desidratado antes, e os sinais foram intensos: muita sede, tontura, falta de energia e força, além de um pouco de entorpecimento. Mas também procuro não exagerar na hidratação. Não quero lavar todos os minerais e vitaminas do meu corpo. Quando meu xixi está muito claro, acho que estou muito hidratado. Gosto que minha urina tenha um pouco de cor. (Será que isso é informação demais?)

Depois da prática técnica, tomo um *shake* de proteína orgânica feito com água misturada à proteína concentrada de arroz ou ervilha (que às vezes é chamada de proteína médica) e um pouco de caldo de cana evaporado. Não tomo *shakes* de soro de leite ou de soja. Considero que, para mim, esse é o jeito mais rápido de me reabastecer.

Antes de uma partida, quando quero realmente estar no auge, geralmente, como um gel energético com 25 miligramas de cafeína. Mas sou cuidadoso – nunca consumo mais do que isso. Esse gel aumenta minha energia, mas não quero alterar minha concentração. Algumas pessoas têm a ideia de que cinco xícaras de café ou uma garrafa grande de Coca-Cola podem ativar a energia corporal. Esses caras vão falhar – e falhar feio.

Durante a partida, consumo frutas desidratadas como as tâmaras. Além disso, ingiro duas colheres de chá de mel. Sempre escolho os açúcares derivados da frutose. Além desses exemplos, a vasta maioria dos açúcares que consumo vem das bebidas ingeridas no treino e na prática, como já mencionei.

Mais tarde, na hora do jantar, como proteína na forma de carne ou peixe. Isso, usualmente, quer dizer bife, frango ou salmão, desde que sejam orgânicos, alimentados no pasto, caipira, selvagem, etc. Peço a carne assada ou grelhada e o peixe cozido no vapor ou *poché*. Quanto mais natural for a comida, mais nutritiva. Como acompanhamento, vegetais cozidos no vapor como abobrinha ou cenoura. Também costumo consumir um pouco de grão-de-bico ou lentilha e, ocasionalmente, sopa.

Muitas pessoas me perguntam a respeito de álcool. Não posso beber cerveja e nem vodca destilada de trigo, portanto, nem preciso considerar a hipótese de consumi-las. Jamais bebo álcool durante a disputa de um torneio. Ponto final. De vez em quando, tomo um copo de vinho tinto. Não considero o vinho uma bebida alcoólica. Acho que o vinho é sagrado, algo que pode também ser usado por seu poder curativo. Todos nós conhecemos os estudos que apresentam os benefícios do vinho para o coração. Mesmo assim, não bebo muito. Em mim, a bebida causa uma acidez no sistema digestivo que é desconfortável.

Os chás são ótimos a qualquer momento do dia. Gosto de chá de alcaçuz que me dá uma sensação energética sem a cafeína e também é bom para a circulação. Também aprecio um bom chá de limão com gengibre.

O valor de uma semana de nutrição

Você já leu bastante a respeito de minha abordagem alimentar. Minha dieta está sempre evoluindo, e não pretendo parar de melhorá-la. A seguinte amostra de menu sem glúten e sem laticínios está funcionando bem para mim agora, e eu espero que ajude você a estruturar seu próprio cardápio. Você vai encontrar as receitas *grafadas em itálico* no Capítulo 8.

Segunda-feira

Café da manhã

Água, logo ao sair da cama
2 colheres de sopa de mel
Tigela da Força – granola com leite de amêndoas ou de arroz sem açúcar ou adoçante
Fruta

Lanche no meio da manhã (se necessário)

Pão ou biscoitos água e sal sem glúten com abacate e atum

Almoço

Salada de folhas verdes
Macarrão Primavera sem glúten

Lanche do meio da tarde

Maçã com manteiga de castanha-de-caju
Algum tipo de melão ou melancia

Jantar

Salada Caesar com couve e quinoa
Sopa Minestrone
Salmão com ervas

Terça-feira

Café da manhã

Água, logo ao sair da cama
2 colheres de sopa de mel
Banana com manteiga de castanha-de-caju
Fruta

Lanche no meio da manhã (se necessário)

Torrada sem glúten com manteiga de amêndoa e mel

Almoço

Salada de folhas verdes
Salada apimentada de macarrão soba

Lanche do meio da tarde

Barrinha de fruta e castanhas
Fruta

Jantar

Salada Niçoise de atum
Sopa de tomate
Tomates assados

Quarta-feira

Café da manhã

Água, logo ao sair da cama
2 colheres de sopa de mel
Aveia sem glúten com manteiga de castanha-de-caju e banana
Fruta

Lanche no meio da manhã (se necessário)

Homus feito em casa com maçãs/legumes crus

Almoço

Salada de folhas verdes
Macarrão sem glúten com Pesto Poderoso

Lanche do meio da tarde

Abacate com biscoito água e sal sem glúten
Fruta

Jantar

Salada de folhas verdes misturadas e abacate com molho caseiro
Sopa de cenoura e gengibre
Frango assado inteiro com limão

Quinta-feira

Café da manhã

Água, logo ao sair da cama
2 colheres de sopa de mel
Tigela da Força – granola com leite de amêndoas ou de arroz sem açúcar ou adoçante
Fruta

Lanche no meio da manhã (se necessário)

Maçã e um punhado de castanhas-de-caju ou amêndoas

Almoço

Salada de folhas verdes misturadas com quinoa, frango, maçã, abacate e molho caseiro

Lanche do meio da tarde

Amêndoas assadas com cobertura de molho tamari (molho de soja sem glúten)
Fruta

Jantar

Salada de folhas verdes misturadas com abacate e molho caseiro
Sopa caseira de frango com arroz
Peixe marinho com manga e molho de papaia

Sexta-feira

Café da manhã

Água, logo ao sair da cama
2 colheres de sopa de mel
Banana com manteiga de castanha-de-caju
Fruta

Lanche no meio da manhã (se necessário)

Pão ou biscoitos água e sal sem glúten com atum e *homus*

Almoço

Batida de manga com coco
Macarrão Primavera sem glúten

Lanche do meio da tarde

Barrinha de fruta com castanhas
Fruta

Jantar

Sopa francesa de cebola
Salada de folhas verdes misturadas com quinoa, abacate, peito de peru e molho caseiro

Sábado

Café da manhã

Água, logo ao sair da cama
2 colheres de sopa de mel
Aveia sem glúten com manteiga de castanha-de-caju e banana

Lanche no meio da manhã (se necessário)

Batida de mirtilo com manteiga de amêndoa

Almoço

Salada César com couve e quinoa

Lanche do meio da tarde

Carne seca temperada
Fruta

Jantar

Salada de folhas verdes misturadas com abacate e molho caseiro
Sopa de ervilha
Contrafilé grelhado
Batata assada recheada

Domingo

Café da manhã

Água, logo ao sair da cama
2 colheres de sopa de mel
Batida de banana com morango
Fruta

Lanche no meio da manhã (se necessário)

Torrada de pão sem glúten com manteiga de amêndoa e mel

Almoço

Tomate seco ao sol com salada de quinoa

Lanche do meio da tarde

Amêndoas assadas com cobertura de molho tamari (molho de soja sem glúten)
Fruta

Jantar

Salada de folhas verdes misturadas com abacate e molho caseiro
Sopa de tomate
Batatas-doces fritas crocantes
Hambúrguer da Força sem pão

Capítulo 6

Treinamento mental

Estratégias para treinar o foco, reduzir o estresse e atingir a excelência

Para mim, treinar não é somente corrigir imperfeições ou repetir infinitamente os mesmos lances do tênis, ano após ano, até que fiquem tão familiares para meu corpo quanto respirar. Bem, ok, também é muito de tudo isso. Mas não apenas. Existem muitos ditados batidos no tênis, mas o meu favorito é este: "O jogo parece ser aquilo que acontece entre as linhas da quadra, mas só acontece realmente entre as suas orelhas."

Isso está relacionado a tudo que estou falando sobre comida porque o combustível apropriado não alimenta apenas o seu corpo. Ao longo das minhas lutas, antes de descobrir como comer para abastecer adequadamente meu corpo, nos momentos cruciais, eu não parava apenas de desempenhar fisicamente. Eu também tinha cólicas cerebrais. Mesmo na situação da mais alta pressão imaginável, eu ficava confuso e perdia o foco. Você pode achar que estar diante de Rafael Nadal sacando uma bola na sua direção a 230 quilômetros por hora seria o suficiente para manter sua mente focada, mas posso garantir que mental e emocionalmente algo não estava bem comigo. O problema: algo que muitos médicos agora começam a chamar de "cérebro de trigo".

Os alimentos que contêm glúten estão sendo relacionados à depressão, letargia e até demência e outras doenças psiquiátricas[1]. Portanto, você deve tratar a sua mente como trata seu corpo – precisa alimentá-la adequadamente.

Mas também deve manter a mente com exercícios.

Com frequência, as pessoas me perguntam: "Como você treina para o jogo mental?" Bem, como já disse, eu como para o meu cérebro e também para o meu corpo. Mas existem também exercícios mentais que podem ajudar a trazer calma e clareza para o seu dia. Eu não revelarei a você todos os meus segredos – afinal, quero continuar a ter minha carreira – mas uso uma série de técnicas mentais para me manter mais

---

[1] Numerosos estudos estão relacionando o glúten e a doença celíaca à depressão e a outros problemas mentais. Um estudo realizado em 2006 pela Clínica Mayo descobriu uma ligação entre a doença celíaca e a demência, além de outras formas de declínio cognitivo. FONTE: *Archives of Neurology*, Josephs, KA et al, outubro de 2006.

preciso, focado e sintonizado durante os treinos e as partidas. Embora eu não os considere como "métodos de treinamento".

Esses exercícios mentais são a maneira como levo minha vida.

Vire a chave de "fechado" para "aberto"

Falei bastante sobre a questão da abertura da mente e de como mudei minha própria atitude conforme viajava pelo mundo. Mas agora quero mostrar a você como a falta de receptividade diante da vida afeta o que você sente e o seu desempenho no dia a dia.

Por exemplo, vamos dizer que você tenha uma dor de cabeça.

Você diz ao médico: "Estou com dor de cabeça." E ele responde: "Ok, temos algo contra isso" e lhe dá uma pílula que trata o sintoma e não a causa. Esse é o funcionamento da medicina ocidental. Os métodos medicinais de outras culturas (chinesa, ayurvédica), por sua vez, enfatizam o tratamento da raiz do problema. Às vezes, a "cura" é apenas um copo de água (afinal, a desidratação pode causar dor de cabeça). Mas os médicos ocidentais têm seu treinamento, experiência e trabalham assim. Pela minha experiência, a maioria dos médicos especializa-se em uma área da medicina ocidental e não dispõe de tempo para se familiarizar com terapias alternativas — ou até mesmo com aspectos médicos de outras áreas além da própria especialidade. Não pense nem por um segundo que estou criticando a medicina ocidental — acredite, se eu estourar um joelho e precisar de uma cirurgia para consertá-lo, pode apostar que vou procurar o melhor médico ocidental para me tratar.

A questão aqui gira em torno de como eu seleciono e absorvo a experiência de pessoas que encontro ao redor do mundo e crio um cenário que funciona bem para mim. Se todo mundo assumisse essa atitude, nós teríamos um mundo muito mais feliz e pacífico. *E* todos nós seríamos mais saudáveis. A vida é um trabalho em andamento, mas o progresso só acontece quando você mantém a mente e o coração abertos. Se não agir assim, então, poderá ser facilmente manipulado.

Eu já toquei nesse assunto antes, mas um ponto merece mais atenção: as pessoas acham que o ceticismo previne a manipulação. A mentalidade atual está totalmente relacionada à lógica, racionalidade e modernidade: "Prove para mim que isso funciona." E o ceticismo é sempre garantido: por exemplo, a internet nos possibilita acesso a todo tipo de informações "fidedignas", mas como podemos confiar na precisão delas? Perceba que todo conselho de "expert" tem sua história de bastidor, e a maioria das pessoas, mesmo quando está genuinamente tentando ajudar, faz isso de uma forma que também as ajuda. É importante questionar tudo, as informações "comprovadas" e as novas informações – o que a fonte tem a ganhar com isso? – sem permitir que o ceticismo feche você para novas ideias. Como eu afirmei no início desse livro: somente você pode ser a autoridade máxima sobre você mesmo. De vez em quando, você deve tentar novidades e fazer novas perguntas para encontrar a *sua própria* prova: "Isso funciona *para mim*?"

Sabe o que isso significa? Que é preciso analisar objetivamente a você mesmo naquele momento. Isso exige abertura mental.

Não são muitas as pessoas que conseguem – ou desejam – fazer isso.

Vamos retomar aquele exemplo da dor de cabeça. Uma pílula pode ser a maneira mais rápida de aliviar a dor. Mas você vai colocar aquele remédio dentro do seu corpo. Dependendo da substância que ingere, você pode estar causando mal para o seu fígado ou seu estômago. O que acontece se a dor de cabeça voltar à noite? Ou amanhã? Mais pílulas? Por outro lado, você pode querer abrir a mente e se fazer algumas perguntas, começando pelas seguintes:

Quanta água eu tomei?
Quanto estresse estou enfrentando?
E a principal e mais importante: *O que estou comendo?*

Fazer-se essas perguntas e melhorar nas três áreas pode ser um longo caminho para aliviar a dor de cabeça sem ingerir pílulas. Quero dizer, as indústrias de remédios e de suplementos alimentares estão por perto a todo o momento. Existem pílulas e suplementos para tudo. Só que a resposta não está em comprimidos.

Trata-se de uma tomada de consciência. Eu dependo do meu corpo. Você pode acreditar que não é tão dependente do seu porque trabalha em um escritório. Mas você é. Você tem que estar na melhor forma para fazer o seu trabalho. E em casa? Lá as pessoas não dependem de você? Quando não está sendo bem cuidado, seu corpo manda sinais: fadiga, insônia, cólica, gripe, resfriado, alergias.

Quando isso acontece, você faz a si mesmo as perguntas que mais importam? Você responde honestamente e com a mente aberta?

Espero que sim. Eu aprendi a fazer isso e agora conheço meu corpo tão bem a ponto de ser capaz de dizer quando algo não está bem e o que tenho que fazer para melhorar. Essa abertura é importante porque determina sua energia. Na minha experiência, as pessoas de mente aberta irradiam energia positiva. As pessoas com a mente fechada espalham negatividade. Lembra aquele teste que relatei anteriormente em que a água do copo que recebeu energia negativa ficou turva?

Talvez você já esteja começando a entender sobre o que estou falando nesse livro.

A medicina oriental ensina a alinhar a mente, o corpo e a alma. Quando você tem sentimentos positivos na mente – amor, alegria, felicidade – isso afeta seu corpo. Eu gosto de me encontrar com muitas pessoas ao mesmo tempo, especialmente quando há muitas crianças entre elas. As crianças só têm energia positiva. Estão abertas a tudo. São entusiasmadas, curiosas e estão sempre esperando mais uma chance para dar risada. Eu mudo meu caminho para ir até os fãs, dar autógrafos e tirar fotografias. Sim, é uma atitude positiva para eles, mas isso também me traz benefícios. Absorvo uma tremenda energia positiva da multidão de fãs e preciso disso para ter sucesso. As pessoas que torcem por mim, que me param para dizer "alô", não têm ideia de como são importantes para o meu sucesso.

Muitas pessoas, porém, especialmente as de mente fechada, são guiadas pelo medo. Esse sentimento e a raiva são as energias mais negativas que temos. O que teme uma pessoa com mente fechada? Podem ser muitos fatores: medo de estar errada, medo de que alguém tenha um caminho melhor, medo de que algo tenha que mudar. O medo limita sua capacidade de viver.

Outra questão que observei em minhas viagens: algumas pessoas no topo da hierarquia alimentam a negatividade. Em minha opinião, as indústrias farmacêutica e alimentícia *querem* que todos sintam medo. *Querem* que as pessoas se sintam mal. Na televisão, diariamente, quantos anúncios publicitários são sobre remédios e *fast-food*? E qual é a raiz dessas mensagens? *Nós faremos você se sentir melhor com nossos produtos.* Indo ainda um pouco mais fundo: *Nós faremos você ter medo de não contar com o suficiente daquilo que dizemos que você precisa.* É loucura – mesmo quando você está completamente saudável, eles dizem que você precisa de suplementos para se manter em forma.

Existe um padrão que eu prefiro adotar: boa comida, exercício, abertura, energia positiva e ótimos resultados. Atualmente, eu já vivencio esse padrão há vários anos e funciona melhor do que o outro.

Não tenha receio de aceitar sua própria verdade, mudar, analisar. Coloque as questões em perspectiva. Tente ser objetivo, mas não cético. E se mantenha positivo. Essa energia vai preencher seu corpo e, literalmente, melhorar sua saúde, preparo físico e seu desempenho como um todo.

No que você pensa?

Existe um método importante que utilizo para manter minha própria energia, mesmo quando os sentimentos negativos me atacam.

Emocionalmente, meus "baixos" não costumam ser muito profundos e duradouros. Até naqueles dias em que não me sinto ótimo, assim que começo minha rotina, eu mergulho nela e cada bola que lanço tem um propósito. Então, como faço para que meus "baixos" não me atirem no poço? O truque está em como eu penso ou, pelo menos, tento pensar a maior parte do tempo. O método não é absoluto, nem infalível. Mas funciona bem.

Os psicólogos chamam isso de *mindfulness* (consciência plena). É uma forma de meditação em que, em vez de buscar o silêncio e encontrar a "paz interior", você permite e aceita o próprio fluxo de pensamentos, objetivamente, sem julgá-los, enquanto se mantém com plena consciência daquele momento naquele tempo da realidade. A objetividade é chave – é como entro em contato com o que está acontecendo com meu corpo em um determinado momento, e como meus pensamentos têm efeito direto sobre ele. Então, consigo analisar os pensamentos sem julgá-los. Esse processo me dá clareza.

Eu faço isso todos os dias por uns 15 minutos, e é tão importante para mim quanto meu treinamento físico. A prática é simples. Comece tirando cinco minutos da agenda (se ajudar, acione o alarme do seu telefone celular). Apenas sente-se silenciosamente, preste atenção em sua respiração, na realidade daquele momento e nas sensações físicas que está sentindo. Deixe seus pensamentos chegarem. Eles vão pular para lá e para cá como loucos, posso lhe adiantar. Mas é assim mesmo. Sua missão é deixá-los ir e voltar. Tente lembrar que as experiências físicas que está sentindo são reais, mas os pensamentos em sua cabeça não são – são apenas inventados. Sua meta é aprender a fazer a separação entre os dois.

O silêncio é uma grande parte desse exercício. Como mencionei, agora gosto de me alimentar lenta e quietamente, exatamente pela mesma razão. Isso faz parte da minha tentativa de oferecer boa comida e energia positiva para abastecer meu corpo. Há muito barulho ao nosso redor, e isso só serve para estressar nossas vidas. A *mindfulness* (consciência plena) é uma maneira de deter isso e apenas... ser.

Se você fizer isso regularmente, mesmo que seja por curtos intervalos de tempo, vai aprender maravilhas sobre você mesmo porque estará consciente do momento e, finalmente, *percebendo-o*. Eu, por exemplo, me dei conta de quanta energia negativa enviava para o meu cérebro. Assim que consegui focar em retroceder um pouco e analisar meus pensamentos objetivamente, eu vi claramente: uma quantidade maciça de emoções negativas. Insegurança. Raiva. Preocupações com a vida e a minha família. Medo de não ser bom o bastante. Que talvez meu treinamento estivesse errado. Que minha estratégia para a próxima partida podia estar errada. Que eu estava perdendo tempo, desperdiçando potencial. E havia ainda as pequenas batalhas: aquelas discussões imaginárias que você tem com pessoas que nem vai ver naquele dia sobre assuntos que nunca virão à tona.

Você pode estar pensando: por que eu iria querer desenterrar toda essa feiura? Parece horrível. Mas não é. É libertador. Entenda, eu não me prendo a esses pensamentos. Eu deixo que venham e vão. Porém, como estou em consciência plena no momento, percebo que me agarrar a essa energia rouba vida de mim.

Depois de praticar por um tempo, algo dá um estalo: é simplesmente assim que minha mente funciona. Provavelmente, é como funciona a mente de todos nós. Eu desperdicei muita energia e tempo com meu próprio "turbilhão interior" ou como quer que você deseje chamar isso. Estava tão focado nessa batalha interna que perdia de vista o que estava acontecendo em volta de mim, o que estava ocorrendo naquele momento.

Fiz tanta meditação de consciência plena (*mindfulness*) que agora meu cérebro funciona melhor automaticamente, mesmo quando não estou meditando. Eu costumava ficar paralisado toda vez que cometia um erro; tinha certeza de não fazer parte da mesma turma dos Federers e dos Andy Murrays. Agora, quando explodo um saque ou detono um *backhand*, eu ainda tenho uns instantes de insegurança, mas aprendi como lidar com isso: eu reconheço os pensamentos negativos e os deixo desaparecer me concentrando no momento. A consciência plena me ajuda a processar a dor e as emoções. Faz com que eu consiga dar foco no que é realmente importante. Ajuda a baixar o volume dentro do cérebro. Imagine como isso é conveniente para mim em meio a uma partida de um Grand Slam. É por essa razão que a *mindfulness* tem me ajudado a definir uma das minhas diretrizes filosóficas no esporte: se você puder focar na partida daquele dia como a mais importante exatamente agora, então, o resultado será o melhor possível.

Muitas pessoas me perguntam: "Como você medita? Parece tão estranho." É realmente bem simples. Comece aos poucos, com pequenos intervalos de tempo. Você não tem que cruzar as pernas, acender incensos e cantar o mantra "om". Basta apenas sentar em silêncio ou sair para dar uma volta lá fora, concentrando-se em cada passo que der. A meta não é ver quanto tempo você consegue fazer isso. Não é um campeonato de paciência! O objetivo da meditação é encontrar a calma, o foco e a energia positiva.

Quando comecei a tentar meditar, meu maior desafio foi "me dar" tempo. Parece que dedicamos cada vez menos tempo para nós mesmos, mas ficamos felizes por investir momentos em todas as outras distrações que aumentam nosso estresse em vez de reduzir. Achava que eu precisava estar "ocupado" todo momento do dia, mas – de novo – com a mente aberta, aprendi a reservar o tempo que preciso para mim. Minhas refeições são um momento sagrado. Eu comemoro o silêncio quando consigo encontrá-lo (e, às vezes, forço essa conquista, desaparecendo por um breve intervalo).

Para fazer isso dar certo para você, encontre tempo dentro do seu tempo, abrindo intervalos no dia. Faça uma refeição saudável ou saia para pegar um pouco de ar fresco. Não pense que está sendo "egoísta" ou "preguiçoso" ou outro rótulo estúpido que a gente usa quando faz uma parada de tranquilidade. Muitas pessoas assumem que, quando não estão ocupadas, estão desperdiçando tempo, sendo inúteis ou preguiçosas. Era assim que eu me sentia antes de começar a festejar e respeitar esses intervalos.

Fique atento às oportunidades. Vamos dizer que você tenha três crianças e passe o dia inteiro cuidando delas. De repente, as três estão ocupadas, e você tem dez minutos para você mesmo. Em vez de pensar: "Tenho que fazer, x, y, z..." tente usar esse tempo para estar um momento com seus próprios pensamentos. Reconheça-os. Então, deixe-os ir embora.

Quanto mais você praticar, melhor vai se tornar a meditação. Logo esses intervalos vão se tornar vitais no seu cotidiano. Quando isso acontecer, vai notar as mudanças na sua maneira de pensar ao longo do dia. A energia negativa vai encolher. A energia positiva dominará.

Você vai se sentir fantástico.

A parte mais importante do meu dia

... é a noite.

Mais especificamente, é o momento em que minha cabeça encosta no travesseiro. Falando sério. Eu trato o sono com tanto respeito quanto trato a alimentação ou meu cronograma de treinamento ou meus rivais. É importante.

Muitas pessoas não respeitam o sono. Vejo muito isso. Li uma estatística que dizia que pelo menos uma entre quatro pessoas não dormiam o suficiente. E, caso você seja uma dessas pessoas, aposto que você sente isso todos os dias.

Eis aqui por que eu nunca sou sovina com meu sono: fazer exercícios e dormir são como um casal que nunca briga. Eles complementam um ao outro. Como? Uma boa noite de sono ajuda você a fazer uma preparação física mais forte. E os exercícios melhoram a qualidade do seu sono. Você treina para melhorar seu corpo e dorme para recuperá-lo e deixá-lo ainda mais forte amanhã. Deixe o exercício fazer você dormir melhor; deixe o sono ajudar você a se exercitar melhor.

As pessoas esquecem ou ignoram isso (se você está ouvindo essa ideia pela primeira vez agora, então, eu espero que você ouça!). Na verdade, entre os três principais hábitos da boa saúde – comer direito e se exercitar são os dois primeiros –, dormir bem é o que costuma ser ignorado com mais frequência. Quando come algum alimento pouco saudável ou pula uma sessão de exercícios, você (talvez) se sinta mal ou, pelo menos, reconhece que falhou. Mas e quando perde algumas horas de sono? Mesmo quando isso acontece todas as noites? Você atribui o problema ao fato de estar muito ocupado. Estar ocupado é importante. Ninguém se sente mal por estar ocupado demais. E não estar ocupado? Aí é assustador.

Vamos dar uma olhada no que é o sono, e como ele ajuda um corpo ativo. Espero que isso ajude a mudar sua sintonia.

O sono tem quatro etapas. As duas primeiras são de transição da vigília e, tipicamente, cada uma demora apenas alguns minutos. Mas, assim que atinge a terceira etapa, que é realmente de sono profundo, começa a liberar hormônios de crescimento, que ajudam a reconstituir os músculos e reparam os danos causados pelo estresse. A quarta etapa é o sono REM (Movimento Rápido dos Olhos), quando você sonha, e essa fase ajuda a melhorar seu aprendizado e a cognição. Você passa por essas etapas entre quatro e seis vezes ao longo de uma noite de sono. Seu corpo necessita de cada uma delas, sem interrupção.

Só é preciso passar por uma noite mal dormida para perceber que estamos fazendo algo pouco saudável para o corpo. Pense nisso. Quando você dorme pouco se sente repleto de energia positiva? Claro que não. Você deseja uma salada? Não, você quer mesmo é muita comida pesada – de preferência, toneladas. Quando você dormiu pouco, como ficam seus exercícios físicos? No dia seguinte, você treina menos ou vai mais devagar nos exercícios ou apenas simplesmente desiste de fazê-los.

Agora, pense nas mesmas situações, quando você teve uma boa noite de sono. Você se sente ótimo, está motivado a comer como um campeão e está mental e fisicamente preparado para fazer um excelente treinamento. Aqui tem início o ciclo positivo porque uma boa sessão de exercícios físicos vai ajudar você a dormir ainda melhor à noite.

Dito tudo isso, agora devo admitir que uma série de fatores contribui para bagunçar meu padrão de sono. Eu viajo. Mudo de fuso horário. E, de vez em quando, tenho que dormir em doses menores do que gostaria. Durmo onde e quando consigo. Mas uso também alguns truques para assegurar que meu sono seja da melhor qualidade possível.

1. **Mantenha a rotina sempre que for humanamente possível.** Tento ir para a cama no mesmo horário todas as noites – entre 23 horas e meia-noite – e levantar sempre às 7 da manhã – mesmo nos finais de semana. Isso mantém preciso o meu relógio corporal. Essa rotina expõe meu corpo a um padrão regular de luz e escuridão e o ajuda a se ajustar a novos fusos horários. Quando mantenho esses horários, tudo parece ficar em sincronia e meu treinamento melhora.

2. **Não consumo cafeína.** Admiti que como um gel energético antes das partidas, mas não passa disso. O álcool e a cafeína trabalham contra a capacidade do seu corpo de regular o relógio interno.

3. **Desacelero as atividades úteis.** O exato momento antes de ir para a cama é ótimo para fazer um pouco de meditação de consciência plena (*mindfulness*). A casa está mais quieta do que nunca. Fazer um pouco de

alongamento com exercícios de ioga antes de deitar também é bom. De vez em quando, eu leio. Minha namorada, Jelena, e eu fazemos diários e costumamos usar essa quietude da noite para escrever nossos pensamentos e refletir sobre o dia.

4. **Eu desligo o mundo lá fora.** Alguns de meus amigos e familiares usaram aparelhos para emitir um som suave no ambiente e tiveram bons resultados. Isso ajuda a se desligar dos ruídos da vizinhança, da televisão ligada no andar de baixo e de outras perturbações. Então, você pode pegar no sono e continuar dormindo. Tampões de ouvidos e máscaras para os olhos também podem ser úteis, especialmente durante longas viagens de avião.

5. **Se acordar antes da hora, fico quieto.** Eu costumava me estressar com isso. Ficava lá, olhando para o teto e ficava irritado por estar perdendo horas de sono. De vez em quando, levantava e começava as tarefas diárias. Agora, uso esse tempo para fazer meditação de consciência plena (*mindfulness*). Isso me ajuda a voltar a dormir ou me mantém longe do estresse por não ter dormido o bastante.

6. **Uso suplemento de melatonina.** A melatonina é um hormônio natural que ajuda o corpo a se recuperar das mudanças de fuso horário por causa das viagens constantes. O objetivo é retomar o ritmo circadiano depois dos voos muito longos. A maioria dos jogadores profissionais que conheço recorre a esse suplemento.

7. **Quando acordo, busco o sol.** Eu tiro a máscara dos olhos e deixo o sol entrar. Às vezes, saio um pouco para sentir o sol no meu rosto e me sentir mais desperto. A luz faz meu corpo e meu cérebro entenderem que é hora de ir trabalhar.

Minha arma secreta – as amizades

Eu me tornei um sucesso e, por mais estranho que possa parecer, isso pode atrair antipatia e energia negativa para mim e para os outros. Um tema que sempre surge em conversas sobre sucesso é o dinheiro. Em todo torneio, os comentaristas e os jornalistas especializados em tênis adoram falar sobre o valor total e a distribuição dos prêmios: "Se ganhar hoje, ele vai receber X dólares ou Y euros ou Z o que quer que seja."

Tento ser positivo em relação aos aspectos negativos do dinheiro, mas também sou honesto em relação à importância dele em nossas vidas. Sei muito bem o que o dinheiro representa e como a vida se torna mais fácil quando você conquista grandes somas. Eu economizo tempo. Por exemplo, não tenho que me preocupar em pagar contas ou comprar comida para colocar na mesa. Eu gosto de algumas dessas comodidades. Minha família também pode desfrutar da casa, dos carros e de todos os confortos básicos que não tínhamos antes. Mas isso não é tudo. Sei disso e mantenho o foco. Meus amigos e minha família cuidam para que os mimos resultantes do meu sucesso não me estraguem.

Essa questão leva a outra força chave que me mantém seguindo na direção positiva, um fator que reduz muito o estresse que o dinheiro e o sucesso trazem: as pessoas ao meu redor.

Sou muito cuidadoso com meu círculo mais próximo de pessoas. Eu passo quase todo meu tempo diário com meu fisioterapeuta, meu agente e meus técnicos. Minha namorada está comigo a maior parte do tempo, assim como minha família. São pessoas modestas e humildes, gente normal que leva uma vida normal. Também já passaram por muitas experiências boas e ruins. Estão sempre por perto para me oferecer uma mão e dar um apoio extra. Toda vez que enfrento uma situação difícil, posso confiar nessas pessoas por sua experiência, sabedoria e poder de me confortar.

Isso é extremamente importante. As pessoas pensam no tênis como um esporte individual, alguém sozinho enfrentando o adversário do outro lado da rede. Essa é apenas a interpretação literal. De fato, é um esforço de time. Tudo o que conquistei é resultado de um trabalho em equipe. Todo mundo cumpre seu papel, e nós trabalhamos em harmonia, entendendo o que cada um faz e por quê. Tenho que trabalhar dessa maneira. Isso ajuda a construir o espírito de equipe, a força diretriz por trás do sucesso.

Penso nas pessoas por trás do meu sucesso como uma família (e algumas são realmente), e consideramos nosso relacionamento primeiro como amizade e depois como uma parceria profissional. Não conseguiria trabalhar de modo diferente. Preciso estar conectado às pessoas ao meu redor para compartilhar ideias, boas e más, e todos os grandes sentimentos da vida: felicidade e alegria, preocupação e estresse.

Essas pessoas têm ainda outra grande tarefa: assegurar que eu continue sempre o mesmo homem, com a mesma filosofia e o caráter de sempre. Elas não me deixam esquecer quem eu sou e onde cresci. É a missão delas, que é levada muito a sério.

Recentemente, meu técnico, Miljan, me fez um enorme elogio: "Há dois anos, você venceu todos aqueles torneios – todos os Grand Slams e muito mais – e continua a ganhar desde então, mas sua maior conquista é não ter mudado. Você continua o mesmo rapaz."

É melhor que ele pense assim. Sou padrinho da filha dele.

Estou brincando, mas você pode perceber que temos uma relação muito além daquela entre técnico e jogador. Ele é um de meus melhores amigos. E isso é inestimável para mim.

Talvez você tenha notado a frase de Winston Churchill no início desse livro: "Nós vivemos com o que conquistamos, mas nossa vida é feita daquilo que oferecemos aos outros." Portanto, quanto mais você oferecer às pessoas ao seu redor, mais sua alma cresce e você se torna um ser humano melhor.

Amor, alegria, felicidade e saúde: isso é tudo o que eu busco na vida e tento nunca achar que está garantido. Sempre procuro estar atento a mim mesmo, à vida, às pessoas e ao mundo ao meu redor.

Esse é o melhor tipo de consciência plena (*mindfulness*), não é?

Todos esses fatores contribuem para o meu sucesso, mas ainda há mais uma diretriz: a esperança de que quem vier depois de mim possa ver o que fiz, como fiz e use meu trabalho para estimular suas próprias conquistas. Apenas isso já é uma enorme motivação para que eu siga positivo e mantenha minha trajetória. Sempre tento permanecer humilde, mas também sei que o que sou hoje não veio do nada e nem foi uma tarefa fácil. Vim de um país conturbado pela guerra, com racionamento de alimentos, restrições, sanções e embargos. Não havia nenhuma tradição no tênis e muito menos dinheiro para minha família me enviar para disputar os torneios e, mesmo assim, eu cresci para me tornar o número 1 do mundo.

Dessa forma, ninguém pode me dizer: "Isso é impossível." Parecia impossível naquela época, acredite em mim. Bem poucas pessoas acreditaram que eu seria capaz. Atualmente, sou afortunado por contar com essas pessoas que acreditaram em mim desde o início e possibilitaram que me tornasse o que sou. É por isso que eu digo: "Você é as pessoas com quem anda." Pense sempre sobre isso – sobre tudo desse capítulo – enquanto vai tentando conquistar o próprio sucesso. Essas crenças são o alicerce da minha vida.

Manter o foco pode ser tremendamente extenuante. Todo mundo lida com estresse, nervoso e frustração: não estou bem hoje, então, dane-se isso, dane-se aquilo. Isso é normal porque somos humanos. Mas lembre-se: o grau de controle que tem sobre você mesmo para superar esses sentimentos determina sua qualidade de vida. As pessoas que tenho ao meu redor e o amor que sinto por elas são tudo na minha qualidade de vida; elas me lembram diariamente de manter o foco naquilo que é importante e deixar de lado minhas frustrações e meus medos. Se minha carreira desaparecer amanhã, mas meus amigos e minha família continuarem comigo, isso será mais do que suficiente.

Capítulo 7

Treinamento físico

Um plano simples de fitness que todo mundo pode adotar

Fico acordado umas 16 horas por dia e, provavelmente, 14 delas são investidas em: (a) jogar tênis, (b) treinar para jogar tênis ou (c) comer para ser um tenista melhor. É tudo o que eu faço, todos os dias, ao longo de 11 meses por ano – essa é a duração da temporada de tênis profissional (durante minhas poucas semanas de folga, no início de maio, eu ainda gasto a maior parte do tempo fazendo a, b e c, mas também passo um bom tempo caminhando, remando no caiaque ou andando de bicicleta).

É isso o que custa ser o número 1 contra os mais bem preparados e competitivos atletas do mundo: treinamento físico e mental constante e inflexível 14 horas por dia nos sete dias da semana.

Então, está pronto para começar?

Não?

Faz sentido. Minhas necessidades físicas, provavelmente, não correspondem às suas (e, caso sejam parecidas, você já tem seus próprios técnicos e preparadores e estará disputando uma partida comigo na próxima semana em Paris).

Ainda assim, gostaria de lhe apresentar alguns dos exercícios que faço e que podem fazer uma grande diferença na sua vida. Não é um treinamento completo. São pequenos diferenciais que você pode acrescentar ao seu programa de *fitness*, independente do seu grau de preparação física. Entenda, as mudanças na dieta sugeridas nesse livro farão você se sentir cada vez melhor. Você tirará vantagem disso para aperfeiçoar seu jogo físico, qualquer que seja o seu esporte preferido. Portanto, se você gosta de corrida de longa distância, levantamento de pesos ou, quem sabe, de tênis (eu, com certeza, recomendo), essas dicas de exercícios irão ajudar você.

Não se trata apenas de melhorar sua forma física, embora ajudem muito nisso. Esses exercícios também promovem um melhor desempenho porque, por exemplo, facilitam o aquecimento antes do treino. Estimulam a flexibilidade. Controlam o estresse. E, além disso, são excelentes para um aspecto importante do treinamento que costuma ser negligenciado: a recuperação.

Resultado: esses exercícios me dão uma vantagem. Eu não seria capaz de jogar no meu atual nível sem praticá-los.

Conquiste a "verdadeira" flexibilidade

Para mim, toda prática, todo treino e toda partida começam da mesma maneira: dez a quinze minutos de movimento. Isso quer dizer correr ou pedalar na academia, seguido de alongamento dinâmico nas linhas laterais da quadra. Nenhum deles é muito intenso – é apenas para aquecer meus músculos. Se estiver, por exemplo, na bicicleta, ajusto para o nível 1 ou 2. Tenho que estar sempre muito alerta à possibilidade de lesões; então, não jogo nem partidas beneficentes sem antes fazer o aquecimento adequado. A segurança vem antes.

O alongamento dinâmico realmente desperta meu corpo. Caso não esteja familiarizado com esse termo, saiba que existem dois tipos de alongamento: o estático e o dinâmico. O alongamento estático é aquele que fazíamos quando éramos crianças nas aulas de ginástica, que consiste em segurar o músculo alongado por trinta segundos. Esse tipo não me ajuda muito. Assim que aprendi o alongamento dinâmico (que explicarei em detalhes nas próximas páginas), passei a sentir que meu corpo estava verdadeiramente pronto para uma boa sessão de preparação física. Pude conquistar, inclusive, uma nova flexibilidade sem grande esforço.

Para mim, a "verdadeira" flexibilidade não é apenas ser capaz de abaixar e tocar os dedos dos pés (embora eu consiga fazer isso). Não se trata de ser um contorcionista. O que interessa é que meu corpo consiga executar os movimentos de que necessito para ganhar. O alongamento dinâmico me ajuda a atingir esse objetivo porque o "dinâmico" refere--se a movimentos que fazemos na vida diária. É por isso que adoro: o alongamento dinâmico torna mais fácil tudo o que faço. Além disso, estimula o sistema nervoso central, eleva o fluxo sanguíneo e aumenta a produção de energia e força. Então, de verdade, considero essa a melhor forma de aquecimento para qualquer atividade física.

Minha recomendação: faça cinco minutos de corrida leve ou de bicicleta estacionária para facilitar a entrada do seu corpo em atividade e elevar os batimentos cardíacos. Depois, vá direto para esses exercícios de alongamento dinâmico. Repita dez vezes cada um, sem descansar (conforme seu corpo for ficando condicionado a esses movimentos, você pode aumentar o número de repetições para 15 ou até 20). Não vai demorar mais de cinco minutos para fazê-los e, ao terminar, você deve estar transpirando. Isso é muito bom – você está "esquentando" seu aquecimento.

Polichinelos: provavelmente, você já sabe como fazer isso, mas, caso contrário: fique ereto com os pés juntos e os braços ao lado do corpo. Simultaneamente, levante as mãos sobre a cabeça e abra bem as pernas. Inverta o movimento e repita.

Avanço com joelhos altos: fique ereto com os pés separados na largura dos ombros. Mantendo os ombros e as costas retas, erga ao máximo o joelho esquerdo para dar um passo à frente. Repita com o joelho direito, avançando e voltando.

Avanço com chutes altos: fique ereto com os pés separados na largura dos ombros. Mantendo o joelho esticado, chute para cima com sua perna direita e cruze o braço esquerdo na frente do corpo na direção do pé levantado – simultaneamente, dê um passo à frente. Repita andando para frente e voltando.

Burpees: fique ereto com os pés separados na largura dos ombros e os braços esticados ao lado do corpo. Abaixe o mais que puder como se fosse ficar de cócoras. Enquanto abaixa, ponha as mãos no chão à sua frente e transfira o peso do corpo para elas. Jogue as pernas para trás para ficar na posição de flexão de braço. Faça a flexão. Depois, puxe rapidamente as pernas para voltar à posição de cócoras. Levante e repita.

Agachamento com curvatura lateral: em posição ereta, avance com a perna direita e abaixe até que seu joelho direito fique em pelo menos 90 graus (não deixe que o joelho esquerdo encoste no chão). Enquanto abaixa, estenda o braço esquerdo sobre a cabeça, curvando o torso para a direita. Encoste a mão direita no chão se precisar de mais equilíbrio. Retorne à posição inicial. Complete suas repetições e, então, troque de perna e faça o mesmo número de movimentos.

Agachamento reverso: em posição ereta, recue a perna direita, abaixando o corpo até que o joelho esquerdo esteja dobrado em pelo menos 90 graus (não deixe que o joelho direito encoste no chão). Enquanto abaixa, mantenha o torso para frente, mas erga os braços sobre a cabeça e curve os ombros para a esquerda. Reverta o movimento e volte à posição inicial. Complete suas repetições, então, recue a perna esquerda e curve os ombros para a direita, fazendo o mesmo número de movimentos.

Agachamento lateral: fique ereto com os pés abertos no dobro da largura dos ombros e olhe para frente. Junte as mãos diante do peito.
Ponha o peso do corpo na perna direita e abaixe o quadril, dobrando o joelho direito. A perna esquerda abaixada deve estar quase paralela ao chão. Seu pé direito tem que permanecer plantado no chão.
Sem voltar a ficar ereto, reverta o movimento para a esquerda e faça as repetições.

Avião: em pé sobre a perna esquerda, deixe o joelho ligeiramente flexionado. Erga o pé direito um pouco e mantenha os braços ao lado do corpo. Sem mudar o ângulo do joelho esquerdo, dobre os quadris abaixando o torso até que fique paralelo ao chão, enquanto estende a perna direita para trás. Enquanto abaixa para frente, levante os braços para os lados até a altura dos ombros com as palmas das mãos viradas para baixo. Sua perna direita deve ficar alinhada com o corpo quando abaixar o torso para frente.
Retorne ao início. Complete as repetições com a perna esquerda e faça os mesmos movimentos com a direita.

Lagarta: ereto com as pernas esticadas, curve-se para frente até tocar as mãos no chão (pode ser que você tenha que flexionar as pernas para conseguir isso, mas faça o melhor possível). Afaste suas mãos para frente o máximo que puder sem deixar os quadris cederem. Quando seu corpo estiver bem estendido, pare e, então, dê pequenos passos em direção das mãos, ficando com as nádegas para cima e o corpo bem dobrado. A mímica inteira desse movimento lembra uma lagarta. Essa é uma sequência. Faça cinco para frente e cinco para trás. Para reverter o movimento, dobre-se e ponha as mãos no chão. Então, leve os pés para trás o máximo que puder. Assim que o corpo estiver bem estendido, pare e caminhe com as mãos em direção ao seus pés com as nádegas para cima e o corpo bem dobrado.

Fazendo um rolo

Para um tenista, a recuperação é crucial – você pode sair de uma partida esgotante de quatro horas às 11 da noite e ter outra para disputar na tarde do dia seguinte. Dessa forma, eu recebo um pouco de massagem quase diariamente para ajudar meus músculos a se recuperarem e para estimular meu corpo a processar as toxinas produzidas durante uma longa partida ou um treino árduo. Penso em massagem como uma necessidade, não como luxo. Para a maioria das pessoas é o contrário, e eu entendo por causa do alto custo. Mas, se você puder investir em uma massagem profissional uma vez por mês, será recompensado no longo prazo.

Não é apenas para relaxar os músculos "tensos". Há mais acontecendo na massagem do que a reparação dos tecidos musculares. Por exemplo, a massagem é um modo importante de manter a fáscia o mais flexível possível. A fáscia é uma substância dura que envolve e penetra nos músculos e no tecido conectivo. Funciona como suporte e como absorvente de impactos. Quando você corta um pedaço de peito de frango cru, a fáscia é aquela película esbranquiçada e fina, parecida com plástico, que envolve a carne. Se ela endurece, seus músculos não conseguem funcionar direito e você pode acabar tendo dores ou se machucar realmente. O massageamento regular ajuda a manter os músculos – e a fáscia em volta e dentro deles – flexíveis e saudáveis.

Só que existe outra possibilidade interessante: que tal fazer uma massagem diária em você mesmo gastando 50 reais uma única vez?

Isso nos leva a outra parte importante do meu treinamento: rolos de espuma, que estão acessíveis em lojas de artigos esportivos e não são nada mais do que cilindros de poliestireno extrudado (firme), em geral, com uns 90 centímetros de comprimento. Você "faz um rolo" passando as diferentes partes do corpo sobre o tubo, na verdade, oferecendo uma massagem para si mesmo. Você suaviza os tecidos conectivos duros (como a fáscia) e diminui a rigidez muscular. O resultado? Mais flexibilidade e mobilidade e músculos funcionando melhor. E você pode "fazer um rolo" a qualquer momento, até mesmo falando ao telefone (Viajou e não tem um rolo de espuma? Use uma bola de tênis!).

Se você nunca fez antes uma automassagem, devo lhe avisar: pode ser extremamente doloroso. Mas todo técnico que conheço diz que, se uma área do corpo realmente dói, é ali que você deve trabalhar. Quer dizer que algum músculo está desgastado e precisa de atenção. A parte boa é que, quanto mais você faz isso, menos intensa é a dor, porque está conseguindo tornar o músculo mais flexível.

Portanto, como fazer a automassagem com o rolo? É simples: para cada músculo que quer trabalhar, mova a área vagarosamente para frente e para trás sobre o rolo durante trinta segundos. Se encontrar um ponto realmente muito sensível, pare ali por cinco a dez segundos. É isso aí.

Rolo isquiotibial: sentado no chão, coloque um rolo sob o joelho direito com a perna esticada. Cruze a perna esquerda sobre o tornozelo direito. Plante as mãos no chão para se apoiar. Mantenha as costas arcadas naturalmente.

Avance o corpo para frente até que o rolo chegue aos glúteos. Então, repita para frente e para trás. Faça o mesmo com o rolo sob a coxa esquerda. Se avançar sobre uma perna só for difícil, faça o movimento com o rolo debaixo das duas pernas.

Rolo para glúteos: sente sobre o rolo posicionando-o sob a sua coxa direita bem abaixo do glúteo. Cruze o tornozelo direito sobre a frente da coxa esquerda. Plante as mãos no chão para se apoiar.

Avance o corpo para frente até o rolo atingir a parte inferior das costas. Vá para frente e para trás. Repita os movimentos com o rolo sob a coxa esquerda.

Rolo para a área iliotibial: a banda iliotibial é um tecido conectivo forte que corre pela coxa, começando no osso do quadril e fazendo a conexão debaixo do joelho. Quando enrijecida, essa espécie de faixa pode causar bursite no quadril ou dor no joelho.

Deite sobre o lado esquerdo, colocando o rolo de espuma sob o quadril de forma perpendicular à sua perna. Plante as mãos no chão na frente do corpo para se apoiar. Cruze a perna direita sobre a esquerda e ponha o pé direito firme no chão diante do corpo.

Puxe o corpo, ajustando as mãos se necessário, até que o rolo chegue ao joelho. Faça movimentos para frente e para trás. Deite sobre o lado direito e repita os movimentos com o rolo debaixo do quadril direito (se ficar muito fácil ao longo do tempo, passe a rolar com a perna direita apenas apoiada sobre a esquerda, em vez de deixar o pé direito apoiado no chão).

Rolo para panturrilha: com a perna direita esticada, coloque o rolo perpendicularmente debaixo do tornozelo direito. Cruze a perna esquerda sobre o tornozelo direito. Plante as mãos firmemente no chão para apoio e mantenha as costas naturalmente arcadas.
Avance com o corpo até que o rolo atinja o joelho direito. Então, movimente-se para frente e para trás. Repita com o rolo sob a panturrilha esquerda (se for muito difícil, faça o movimento com as duas pernas sobre o rolo).

Rolo para quadríceps e flexores do quadril: deite de bruços no chão com o rolo posicionado perpendicularmente debaixo de seu joelho direito. Cruze a perna esquerda sobre o tornozelo direito e coloque os cotovelos no chão para se apoiar.
Recue o corpo até que o rolo chegue ao topo da coxa direita. Então, faça movimentos para frente e para trás. Repita com o rolo debaixo da coxa esquerda (se for muito difícil, faça o movimento com as duas coxas sobre o rolo).

Rolo para virilha: não é tão divertido quanto parece. Deite de bruços no chão apoiado nos cotovelos. Coloque o rolo ao seu lado, paralelo ao corpo. Erga a coxa direita até quase ficar perpendicular ao corpo com a porção interna do membro um pouco acima do joelho apoiada sobre o rolo.
Mova o corpo para a direita até que o rolo chegue à pélvis. Vá para frente e para trás. Repita com o rolo sob a coxa esquerda.

Rolo para a parte inferior das costas: deite de costas sobre o rolo posicionado bem abaixo das omoplatas. Cruze os braços sobre o peito. Os joelhos devem estar dobrados com os pés plantados firmes no chão. Escorregue o corpo no chão suavemente. Vá para frente e para trás passando o rolo na parte inferior das costas.

Rolo para a parte superior das costas: deite de costas sobre o rolo posicionado bem abaixo das omoplatas. Junte as mãos sob o pescoço e aproxime os dois cotovelos diante do rosto. Erga os quadris suavemente do chão. Mova-se devagar para que a parte superior das costas passe bem sobre o rolo. Retorne à posição inicial e role alguns centímetros para frente – assim o rolo volta a estar apoiado na parte superior das costas – e repita. Faça novamente. Isso foi apenas uma repetição.

Rolo para omoplatas: deite de costas sobre o rolo posicionado abaixo da parte superior das costas bem em cima das omoplatas. Cruze os braços sobre o peito. Os joelhos devem estar dobrados com os pés plantados firmes no chão. Erga os quadris suavemente do chão. Role para frente e para trás sobre as omoplatas e a parte intermediária e superior das costas.

Exercite o corpo e a mente

Faço ioga por uma série de razões. A primeira, porque me ajuda a soltar os músculos. De vez em quando, minhas costas e meus quadris enrijecem, e a ioga é um ótimo remédio para isso. A sequência respiratória também ajuda a clarear minha mente. Há alguns anos, eu fazia ioga diariamente, mas, hoje em dia, eu a uso como um complemento do treinamento que já faço, especialmente entre os torneios. Quando meu corpo me diz que está tenso ou me sinto mais estressado do que gostaria, faço uma sessão de ioga.

A ioga é uma prática antiga, portanto, milhões de pessoas ao longo de milhares de anos não podem estar erradas. Vou lhe apresentar agora uma breve rotina com alguns exercícios básicos, mas você pode ir bem mais fundo nessa prática. Eu recomendo que todo mundo encontre uma boa escola de ioga e vá regularmente às aulas (sei que pode haver pessoas por aí que são céticas, mas a ioga é realmente muito boa, principalmente para a capacidade atlética e a flexibilidade. A maioria dos atletas profissionais que conheço faz, pelo menos, um pouco de ioga).

Faço movimentos baseados em quatro animais: coelho, gato, cachorro e cobra. Esses quatro movimentos alongam a maior parte do meu corpo e criam uma rotina relaxante. O momento perfeito para praticar essa rotina é imediatamente após o treino físico ou à noite antes de deitar por causa dos benefícios desestressantes e de flexibilidade.

Mantenha cada *asana*, ou pose, entre trinta segundos e um minuto, respirando profunda e calmamente pelo nariz. *A respiração é a chave.* Os iniciantes devem fazer ajustes nos movimentos que sejam muito desafiadores no início (você vai melhorar).

Coelho: pode ser que você conheça como "pose da criança". Fique de quatro com as mãos, os joelhos e as costas alinhadas. Os quadris bem apoiados sobre os joelhos e os ombros sobre os pulsos. Sente-se, colocando os glúteos o quanto puder sobre os calcanhares. Estique os braços para frente e apoie a testa no chão (use as mãos para empurrar seu corpo de volta com os glúteos sobre os calcanhares).

Gato: da pose do coelho, retorne à posição inicial de quatro sobre as mãos e os joelhos com as costas alinhadas. Arqueie as costas na direção do teto como um gato, expirando enquanto pressiona a palma das mãos no chão e coloca o **cóccix para baixo**.

Cachorro: essa pose é mais conhecida como "cachorro olhando para baixo". Retorne à posição inicial de quatro. Agora, estenda as mãos alguns centímetros para frente, mantendo-as alinhadas com seus ombros. Dobre os dedos dos pés e erga os quadris, esticando as pernas para cima. Mantenha os braços alinhados e pressione o chão com as palmas e os dedos das mãos. Eleve os calcanhares e tente pressionar os dedos dos pés no chão.

Cobra: a partir da pose do cachorro, transfira o peso para frente, apoiando o peito sobre as mãos. Simultaneamente, abaixe os quadris e você estará na posição de flexão de braço. Lentamente, dobre os cotovelos e abaixe o corpo até tocar o chão. Abaixe os braços ao lado do corpo, deixando as mãos na altura das costelas. Descanse um instante. Pressione a palma das mãos e os dez dedos sobre o chão, erga a cabeça e o peito até altura do umbigo, fazendo um ligeiro arco nas costas. Abra bem as pontas dos ombros para ampliar a parte superior do tórax. Você deve estar olhando para frente ou suavemente para cima.

Capítulo 8

O prato do campeão

Receitas que alimentam meu sucesso

Atualmente, não há falta de alimentos sem glúten e sem derivados de leite. Esse tipo de refeição está disponível até mesmo nas lojas e restaurantes mais convencionais. No entanto, como já disse, não importa para onde eu viaje, procuro me hospedar em hotéis cujos quartos tenham sua própria cozinha. Sempre me sinto melhor quando sei exatamente o que estou comendo e, além disso, eu e minha família passamos um bom tempo cozinhando e comendo juntos.

Todas as receitas que apresento a seguir combinam perfeitamente com minhas recomendações alimentares. Foram desenvolvidas pela autora e *chef* de cozinha Candice Kumai, que gentilmente as criou com base nos meus hábitos alimentares – que, por coincidência, são iguais aos dela!

Pode ser que você escolha fazer essas receitas ou prefira cozinhar outras favoritas de sua família ou mesmo peça em um restaurante, mas nunca esqueça: como você se alimenta é tão importante quanto o que você come. Leve a sério tudo o que você ingere porque logo isso *será* seu corpo.

Receitas

Café da manhã

Tigela da Força
Aveia sem glúten com manteiga de castanha-de-caju e banana

Batidas

Batida de mirtilo com manteiga de amêndoa
Batida de banana com morango
Batida de manga com coco
Batida de chocolate com manteiga de amêndoa
Batida de baunilha com amêndoas

Almoço

Macarrão sem glúten com Pesto Poderoso
Macarrão Primavera sem glúten
Salada apimentada de macarrão soba
Tomate seco ao sol com salada de quinoa

Lanches

Amêndoas assadas com cobertura de molho tamari (molho de soja sem glúten)
Homus feito em casa com maçãs/legumes crus

Jantar

Peixe marinho com manga e molho de papaya
Tomates assados
Salada Caesar com couve e quinoa
Frango assado inteiro com limão
Salmão com ervas
Contrafilé grelhado
Batata assada recheada
Hambúrguer da Força sem pão
Batatas-doces fritas crocantes
Salada Niçoise de atum
Sopa caseira de frango com arroz

Café da manhã

Tigela da Força

SERVE 2 PESSOAS

INGREDIENTES:

1 xícara de flocos de aveia sem glúten
½ xícara de *cranberries* (oxicocos) secos
½ xícara de passas douradas
½ xícara de sementes de abóbora ou girassol
½ xícara de amêndoas fatiadas
Leite de arroz ou de amêndoas (opcional)
Bananas, frutas vermelhas ou maçãs fatiadas (opcional)
Adoçante natural (opcional)

MODO DE FAZER:

1. Misture a aveia, os *cranberries*, as passas, as sementes de abóbora ou girassol e as amêndoas em um tigela média ou, se estiver viajando, em um saco plástico hermético e reutilizável.
2. Sirva com leite de arroz ou de amêndoas; bananas, frutas vermelhas ou maçãs fatiadas; e seu adoçante natural preferido, se desejar.

Aveia sem glúten com manteiga de castanha-de-caju e banana

SERVE 4 PESSOAS

Ingredientes:

2 xícaras de flocos de aveia sem glúten
2 bananas maduras, mas firmes, fatiadas finamente em rodelas
3 colheres de sopa de manteiga de castanha-de-caju ou de amêndoas
1 colher de sopa de açúcar mascavo
¼ de xícara de chocolate amargo picado (opcional)
Leite de arroz ou de amêndoa sem açúcar

Modo de fazer:

1. Leve quatro xícaras de água para ferver em uma panela média, junte a aveia e cozinhe por uns três a cinco minutos até chegar na consistência desejada. Divida o mingau de aveia em quatro tigelinhas.

2. Distribua a banana fatiada entre as tigelas. Coloque por cima de cada tigela um quarto da manteiga de castanha-de-caju, o açúcar mascavo e o chocolate amargo, se for usar. Adicione leite de arroz ou de amêndoa se quiser.

BATIDAS

Batida de mirtilo com manteiga de amêndoa

Serve 4 pessoas

Ingredientes:

2 xícaras de mirtilos congelados
1 banana congelada
2 colheres de sopa de manteiga de amêndoa
1 xícara de espinafre fresco
2 xícaras de leite de amêndoas sem açúcar

Modo de fazer:

Em um liquidificador, bata os mirtilos, a banana, a manteiga de amêndoas, o espinafre e o leite de amêndoas até que estejam totalmente misturados. (Se necessário, pare o liquidificador para raspar as laterais com uma espátula e, então, volte a bater até ficar homogêneo). Coloque em quatro copos e sirva imediatamente.

Batida de banana com morango

SERVE 4 PESSOAS

Ingredientes:

2 xícaras de morangos congelados
1 banana congelada
1 colher de sopa de manteiga de amêndoas
1 xícara de espinafre fresco
2 xícaras de leite de amêndoas sem açúcar

Modo de fazer:

Em um liquidificador grande, bata os morangos, a banana, a manteiga de amêndoas, o espinafre e o leite de amêndoas sem açúcar até que esteja tudo bem homogêneo.

* Coloque em quatro copos e sirva imediatamente.

* Se necessário, pare o liquidificador, raspe as laterais com uma espátula e volte a bater.

Batida de manga com coco

Serve 4 pessoas

Ingredientes:

2 xícaras de manga congelada
1 banana congelada
1 colher de sopa de manteiga de amêndoas
1 colher de sopa de coco ralado
1 xícara de folhas de couve sem os talos
2 xícaras de leite de arroz

Modo de fazer:

Em um liquidificador grande, bata a manga, a banana, a manteiga de amêndoas, o coco ralado, as folhas de couve e o leite de arroz. Misture até que esteja tudo bem homogêneo*. Coloque em quatro copos e sirva imediatamente.

---

* Se necessário, pare o liquidificador, raspe as laterais com uma espátula e volte a bater.

Batida de chocolate com manteiga de amêndoa

SERVE 4 PESSOAS

Ingredientes:

3 bananas congeladas
2 colheres de sopa de xarope de chocolate orgânico
2 colheres de sopa de manteiga de amêndoas
1 xícara de folhas de couve sem talo
½ xícara de gelo
1 ½ xícaras de leite de amêndoas sem açúcar

Modo de fazer:

Em um liquidificador grande, bata as bananas, o xarope de chocolate, a manteiga de amêndoas, as folhas de couve, o gelo e o leite de amêndoas. Misture até que esteja tudo bem homogêneo*. Coloque em quatro copos e sirva imediatamente.

---

* Se necessário, pare o liquidificador, raspe as laterais com uma espátula e volte a bater.

Batida de baunilha com amêndoas

SERVE 4 PESSOAS

Ingredientes:

3 bananas congeladas
2 colheres de sopa de manteiga de amêndoas
1 colher de chá de extrato de baunilha orgânica
1 colher de sopa de mel
1 xícara de espinafre fresco
½ xícara de gelo (ou quanto necessário)
1 ½ xícaras de leite de amêndoas sem açúcar

Modo de fazer:

Em um liquidificador grande, bata as bananas, a manteiga de amêndoas, o extrato de baunilha, o mel, o espinafre, o gelo e o leite de amêndoas. Misture até que esteja tudo bem homogêneo*. Coloque em quatro copos e sirva imediatamente.

---

* Se necessário, pare o liquidificador, raspe as laterais com uma espátula e volte a bater.

Almoço

Macarrão sem glúten com Pesto Poderoso

Serve 4 pessoas

Ingredientes:

3 xícaras pouco cheias de folhas de manjericão fresco – e mais um pouco para enfeitar, se quiser
¾ xícara de nozes picadas grosseiramente
3 dentes de alho picados
½ colher de chá de sal marinho
½ xícara de azeite de oliva extravirgem
2 colheres de sopa de suco de limão fresco
5 xícaras de macarrão de arroz
Tomates secos ao sol picados (opcional)

Modo de fazer:

1. Para fazer o pesto, coloque o manjericão, as nozes, o alho e o sal marinho em um processador de alimentos e acione até os ingredientes ficarem muito bem picados. Gradualmente, adicione o azeite em um fluxo constante e processe até que a mistura esteja bem picada, mas ainda com textura – cerca de um minuto. Acrescente o suco de limão e ajuste o tempero a gosto. Transfira para uma tigela grande.

2. Em uma panela média, cozinhe o macarrão de arroz de acordo com as instruções da embalagem. Coe, reservando um pouco da água da massa. Misture com o pesto até o macarrão ficar bem coberto. Se for necessário, afine o molho com a água reservada. Cubra com mais manjericão picado e os tomates secos ao sol, se desejar.

Macarrão Primavera sem Glúten

SERVE 4 PESSOAS

Ingredientes:

2 colheres de sopa de azeite de oliva extravirgem
2 dentes de alho finamente picados
1 abobrinha amarela cortada ao meio e em fatias finas na forma de meia-lua
1 abobrinha verde cortada ao meio e em fatias finas na forma de meia-lua
½ maço de aspargos limpos e picados de viés
4 xícaras de macarrão de arroz
¼ xícara de fatias finas de tomates secos ao sol – e mais um pouco para enfeitar, se quiser
¼ colher de chá de sal marinho
2 colheres de sopa de queijo ralado vegetariano por cima (opcional)
Ervas frescas picadas, como salsa ou manjericão (opcional)

Modo de fazer:

1. Em uma panela grande de refogar, coloque o azeite e o alho e cozinhe até ficar perfumado, aproximadamente por cinco minutos.

2. Adicione as abobrinhas amarela e verde e os aspargos, refogando até ficarem macios, mexendo de vez em quando por cerca de oito minutos.

3. Enquanto isso, cozinhe o macarrão em uma panela grande de acordo com as instruções da embalagem. Coe e devolva à panela quente para o manter aquecido.

4. Quando os legumes estiverem macios, adicione-os à massa e misture bem. Acrescente os tomates secos ao sol e o sal marinho. Se desejar, cubra com queijo vegetariano a gosto e sirva com ervas frescas e tomates secos ao sol adicionais.

Salada apimentada de macarrão soba

Serve 4 pessoas

Ingredientes:

1 pacote de 500 g de macarrão soba sem glúten
1 pimentão vermelho pela metade, sem sementes e finamente fatiado
1 xícara de rúcula
2 colheres de sopa de castanha-de-caju trituradas
2 colheres de sopa de folhas de manjericão fresco
Fatias de limão (opcional)
Para o vinagrete picante:
2 colheres de sopa de manteiga de amendoim orgânica e cremosa
1 colher de chá de molho de soja com reduzido teor de sódio
2 colheres de sopa de óleo de gergelim torrado
2 colheres de sopa de vinagre de arroz
2 colheres de chá de molho apimentado como *sriracha* (molho picante tailandês) ou *tabasco*
1 colher de chá de mel ou néctar de agave (adoçante natural, produzido principalmente no México e na África do Sul)

Modo de fazer:

1. Cozinhe o macarrão soba como indicado na embalagem, escorra e lave em água fria. Reserve.

2. Enquanto o soba está cozinhando, misture bem todos os ingredientes para o vinagrete em uma tigela grande.

3. Na mesma tigela grande, misture delicadamente o macarrão soba frio ao vinagrete para revesti-lo bem. Adicione o pimentão vermelho e a rúcula.

4. Jogue por cima as castanhas-de-caju e o manjericão. Adicione um pouco de limão fresco, se quiser.

Tomate seco ao sol com salada de quinoa

Serve 4 pessoas

Ingredientes:

Para o molho:

2 colheres de sopa de azeite de oliva extravirgem
3 colheres de sopa de vinagre balsâmico
1 colher de chá de mel
½ colher de chá de sal marinho
1 colher de chá de mostarda de Dijon

Para a salada:

4 xícaras de quinoa cozida e já fria
½ xícara de tomates secos conservados em óleo * cortados em fatias finas
½ xícara de folhas de manjericão picadas
¼ de xícara de pinhão
1 xícara de rúcula

Modo de fazer:

1. Em uma tigela grande, misture o azeite, o vinagre, o mel, o sal marinho e a mostarda de Dijon até ficarem homogêneos.

2. Adicione a quinoa, os tomates secos, o manjericão, os pinhões e a rúcula. Misture bem com o molho até ficar uniforme.

---

* Para economizar calorias, opte pelo tomate seco conservado em água.

Lanches

Amêndoas assadas com cobertura de molho tamari

Serve 6 pessoas

Ingredientes:

- 4 xícaras de amêndoas cruas
- 2 colheres de sopa de gordura de coco derretida
- 2 colheres de sopa de tamari (molho de soja sem glúten)
- 2 colheres de sopa de orégano seco
- 2 colheres de chá de alho em pó

Para finalizar:

- ½ colher de chá de pimenta em pó
- 1 colher de chá de alho em pó
- ½ colher de chá de sal marinho fino

Modo de fazer:

1. Preaqueça o forno a 180°C. Forre duas assadeiras grandes com papel alumínio, espalhe uniformemente as amêndoas e asse por uns oito minutos. Retire do forno e deixe esfriar um pouco. Baixe a temperatura do forno para 150°C.

2. Em uma tigela grande, misture a gordura de coco, o tamari, o orégano e o alho em pó. Adicione as amêndoas e misture até ficarem bem revestidas.

3. Coloque as amêndoas de volta nas assadeiras, leve novamente ao forno e asse por cerca de mais oito minutos, mexendo-as e girando as assadeiras.

4. Em uma tigela pequena, misture a pimenta em pó, o alho em pó e o sal marinho fino. Tire as amêndoas do forno e deixe esfriar um pouco. Para finalizar, polvilhe com a mistura seca e recubra tudo muito bem. Podem ser guardadas em um recipiente hermético por até duas semanas.

Homus feito em casa com maçãs/legumes crus

SERVE 12 PESSOAS

INGREDIENTES:

PARA O HOMUS:

2 latas de 500 g de grão-de-bico lavado e escorrido
2 colheres de sopa de azeite de oliva extravirgem
2 colheres de sopa de pasta de *tahine* (opcional)
Suco de ½ limão
4 dentes de alho assado
1 colher de chá de cominho em pó
2 colheres de sopa de tamari (molho de soja sem glúten)

PARA ACOMPANHAR:

4 maçãs grandes (de preferência, um tipo doce e crocante como a Fuji) cortadas ao meio e sem sementes, fatiadas em meia-lua

MODO DE FAZER:

Coloque todos os ingredientes para o *homus* em um processador de alimentos e misture até ficar homogêneo. Passe para uma tigela média e sirva com fatias de maçã ou com os vegetais de sua preferência.

Jantar

Peixe marinho com manga e molho de papaia

SERVE 6 PESSOAS

Ingredientes:

Para marinar o peixe:

¼ de xícara de suco de limão fresco (dois ou três limões)
4 colheres de sopa mais 1 colher de chá de azeite de oliva extravirgem
2 colheres de sopa de orégano fresco finamente picado
½ colher de chá de cominho em pó
¼ de colher de chá de pimenta em pó (opcional)
¼ de colher de chá de sal marinho
1 ½ kg de filé de robalo, pargo ou badejo
2 limões cortados em fatias (opcional)

Para o molho de manga:

1 manga grande, não muito madura, descascada e cortada em cubinhos de um centímetro
1 mamão papaia grande e maduro, descascado e cortado em cubinhos de um centímetro
½ cebola roxa cortada em cubos bem pequenos
½ ou ¼ de pimenta-dedo-de-moça bem picadinha
2 colheres de sopa de coentro fresco picado bem fino
½ xícara de pimentões vermelhos assados e cortados em cubos (de preferência, assados em casa)
½ xícara de suco de limão espremido na hora
Sal marinho a gosto

Modo de fazer:

1. Coloque o peixe na marinada: misture, em uma tigela média, o suco de limão, três colheres de sopa e mais duas colheres de chá de azeite, o orégano, o cominho, a pimenta em pó (se estiver usando) e o sal. Adicione os filetes de peixe e vire-os várias vezes para recobrir bem. Cubra a tigela com papel filme e leve à geladeira por, pelo menos, uma hora (podendo ficar até três horas na marinada).

2. Faça o molho: misture, em uma tigela, a manga, o mamão, a cebola roxa, a pimenta-dedo-de-moça (se estiver usando), o coentro, o pimentão vermelho e o suco de limão. Tempere com sal e leve à geladeira.

3. Aqueça bem quente a grelha ou uma panela de ferro fundido e unte cuidadosamente com o restante de azeite. Retire o peixe da marinada e coloque sobre a grade. Cozinhe por quatro a cinco minutos até que a carne do peixe fique firme e não mais opaca. Retire as espinhas, se necessário, antes de servir.

4. Cubra o peixe com o molho de papaia e as fatias de limão.

Tomates assados

SERVE 4 PESSOAS COMO ACOMPANHAMENTO

Ingredientes:

4 xícaras de tomates-cereja
2 colheres de sopa de azeite de oliva extravirgem
2 colheres de sopa de vinagre balsâmico
Sal marinho a gosto

Modo de fazer:

1. Preaqueça o forno a 180°C. Coloque os tomates em uma assadeira com 22 cm por 32 cm, adicione o azeite e misture para recobrir bem. Asse por 45 minutos.
2. Retire do forno, deixe esfriar um pouco e, em seguida, tempere com vinagre balsâmico e sal marinho.

Salada Caesar com couve e quinoa

SERVE 4 PESSOAS

INGREDIENTES:

PARA O MOLHO:

1 cabeça de alho
¼ de xícara de azeite extravirgem
1 colher de sopa de mostarda de Dijon
1 colher de sopa de vinagre balsâmico
⅛ de colher de chá de sal marinho
½ lata escorrida de anchova ou sardinha em azeite
Reserve 1 colher de sopa do óleo da lata para o molho (opcional)

PARA A SALADA:

1 maço de couve toscana (lacinato) sem os talos
1 bulbo de erva-doce
1 xícara de quinoa cozida
¼ de xícara de pinhões torrados

MODO DE FAZER:

1. Preaqueça o forno a 180°C. Corte uma cabeça inteira de alho pelo meio, transversalmente, e embrulhe com um pedaço grande de papel alumínio. Adicione um toque de azeite de oliva extravirgem por dentro, feche como um envelope e asse por 45 minutos. Retire do forno e deixe esfriar. Tire a pele dos dentes de alho e pique-os.

2. Enquanto o alho estiver assando, corte a couve toscana em tiras finas.

3. Corte o bulbo de erva-doce ao meio e fatie bem fino em meia-lua, usando um cortador bem afiado.

4. Em uma tigela grande, misture mostarda de Dijon, vinagre balsâmico e sal marinho. Adicione o alho assado, triturando-o bem com a parte de trás de uma colher para misturar. Adicione o azeite de oliva e o óleo da lata de sardinha ou anchova (se tiver reservado) gradualmente, mas com fluxo constante até tudo ficar bem incorporado.

5. Delicadamente, acrescente couve, quinoa cozida e erva-doce no molho. Adicione anchovas ou sardinhas, se desejar. Decore com os pinhões torrados.

Frango assado inteiro com limão

Serve 6 pessoas

Ingredientes:

1 frango com aproximadamente 2,5 kg
¼ de xícara de azeite de oliva extravirgem
1 colher de chá de sal marinho
1 limão cortado em rodelas finas
3 raminhos de tomilho fresco
3 ramos de orégano fresco
1 cabeça inteira de alho – solte os dentes e deixe a casca

Para o óleo de limão com ervas:

Suco de ½ limão
2 colheres de sopa de folhas de tomilho fresco picado
2 colheres de sopa de folhas de orégano fresco picado
2 colheres de sopa de azeite de oliva extravirgem
1 colher de chá de sal marinho

Modo de fazer:

1. Preaqueça o forno a 200°C. Lave o frango, remova os miúdos e seque muito bem, utilizando toalhas de papel.

2. Unte levemente o fundo de uma assadeira resistente com duas colheres de sopa de azeite de oliva. Tempere o interior do frango com o sal marinho e encha a cavidade com as rodelas de limão, tomilho, orégano e alho.

3. Usando barbante de açougueiro, amarre o peito de frango com as pernas para cima, certificando-se de que as asas e os pés estejam bem firmes. Coloque o frango na assadeira e pincele generosamente com o restante do azeite de oliva.

4. Em uma tigela média, misture todos os ingredientes do óleo de limão com ervas e reserve.

5. Cubra levemente a assadeira com papel alumínio e asse o frango por cerca de 1 hora e meia. Retire de cima da assadeira o papel alumínio e asse por mais 20 minutos. Tire o frango do forno e regue com o óleo de limão com

ervas. Coloque de volta no forno e cozinhe por mais 10 minutos, descoberto – até que fique dourado e a temperatura interna atinja 90°C.

6. Retire do forno e deixe descansar por 10 minutos. Sirva com um pouco de limão e mais ervas frescas por cima.

Salmão com ervas

Serve 4 pessoas

Ingredientes:

4 filés de salmão selvagem com a pele
Azeite de oliva extravirgem
¼ de um limão
Tomates assados
Para a marinada:
2 colheres de sopa de azeite de oliva extravirgem
2 colheres de sopa de folhas de tomilho fresco
2 colheres de sopa de folhas de orégano fresco
2 dentes de alho finamente picados
1 colher de sopa de suco de limão fresco, além de fatias de limão para servir
Sal marinho a gosto

Modo de fazer:

1. Preaqueça o forno a 200°C.
2. Em uma tigela pequena, misture os ingredientes para a marinada.
3. Adicione o salmão na marinada, virando bem para passar tempero em todos os lados. Cubra com plástico e leve à geladeira por 15 a 20 minutos.
4. Unte levemente uma assadeira grande ou um pirex com azeite de oliva e coloque os filés de salmão com o lado da pele para baixo.
5. Asse por cerca de 20 minutos até que a carne do peixe fique opaca, mas firme ao toque. Retire do forno e sirva com uma fatia de limão, acompanhado de tomates assados (página 169).

Contrafilé grelhado

Serve 4 pessoas

Ingredientes:

700 g de contrafilé já limpo
2 colheres de chá de azeite de oliva extravirgem
Para temperar:
1 colher de chá de páprica defumada
1 colher de chá de alho em pó
1 colher de chá de orégano seco
1 colher de chá de sal marinho

Modo de fazer:

1. Para temperar, misture a páprica defumada, o alho em pó, o orégano e o sal marinho em uma tigela pequena. Passe a mistura de especiarias nos dois lados da carne. Coloque em um saco plástico e leve à geladeira por, pelo menos, uma hora ou durante toda uma noite.

2. Retire a carne da geladeira e deixe-a voltar à temperatura ambiente durante uns 15 minutos. Cuidadosamente, unte uma grelha ou uma frigideira de ferro fundido com o azeite e leve ao fogo médio-alto. Coloque a carne na grelha ou na frigideira de ferro e deixe por três ou quatro minutos de cada lado até que esteja bem dourada e marcada pela grelha.

3. Transfira a carne para uma tábua e deixe descansar por 5 minutos antes de cortar, no sentido contrário das fibras, em fatias de um centímetro de espessura. Sirva imediatamente.

Batata assada recheada

Serve 4 pessoas

Ingredientes:

Para as batatas:

  4 batatas grandes
  1 colher de sopa de azeite de oliva extravirgem
  1 colher de chá de sal marinho

Para o recheio:

  1 colher de sopa de azeite de oliva extravirgem
  ½ cebola amarela picada
  1 xícara de cogumelos Paris ou Portobello em fatias finas
  Cebolinha picada (opcional)
  Sal marinho

Modo de fazer:

1. Preaqueça o forno a 200°C. Forre uma assadeira com papel alumínio e reserve. Perfure as batatas várias vezes com um garfo. Coloque-as em uma tigela e misture com azeite de oliva e sal marinho. Transfira as batatas para a forma forrada com papel alumínio e asse por aproximadamente uma hora ou até que estejam cozidas. Retire do forno e deixe esfriar devagar.

2. Para o recheio, aqueça o azeite em uma frigideira em fogo médio. Adicione a cebola e cozinhe até ficar macia e dourada – aproximadamente dez minutos. Junte os cogumelos fatiados e continue a cozinhar até ficarem macios e perfumados – uns cinco minutos a mais.

3. Faça um corte longitudinal no centro de cada batata e aperte as extremidades para abri-las. Recheie cada uma com duas colheres de sopa da mistura de cogumelos. Para servir, se desejar, polvilhe com cebolinha e sal marinho a gosto.

Hambúrguer da Força sem pão

SERVE 3 PESSOAS

INGREDIENTES:

PARA OS HAMBÚRGUERES:

2 colheres de sopa de azeite de oliva extravirgem
1 cebola amarela finamente picada
500 g de carne bovina magra moída
2 colheres de sopa de molho inglês
1 colher de chá de sal marinho
½ colher de chá de pimenta do reino moída

CONDIMENTOS OPCIONAIS:

12 folhas grandes de alface americana
mostarda de Dijon
ketchup orgânico
1 tomate fatiado
½ abacate em fatias finas

MODO DE FAZER:

1. Aqueça uma colher de sopa de azeite em uma frigideira antiaderente grande em fogo médio-alto. Adicione a cebola e cozinhe por cerca de 20 minutos, mexendo de vez em quando até dourar.

2. Transfira a cebola caramelizada para uma tigela pequena e deixe esfriar. Limpe a frigideira para depois fritar os hambúrgueres.

3. Coloque a carne moída em uma tigela grande. Adicione molho inglês, sal, pimenta e a cebola caramelizada já resfriada. Misture bem. Dê forma aos hambúrgueres com 8 cm de diâmetro e 1 cm de espessura.

4. Aqueça o restante do azeite na frigideira antiaderente em fogo médio-alto. Adicione os hambúrgueres e frite até que cada lado esteja dourado. Cada um fica na frigideira por aproximadamente dez minutos. Usando uma espátula, transfira os hambúrgueres para um prato grande e deixe descansar por 5 minutos.

5. Coloque cada hambúrguer em uma folha de alface americana. Adicione uma quantidade generosa de mostarda e ketchup. Cubra com uma fatia de tomate e outra de abacate. Feche o sanduíche com outra folha de alface americana e sirva.

Batatas-doces fritas crocantes

Serve 6 pessoas

Ingredientes:

4 batatas-doces grandes e limpas, mas com casca
2 colheres de chá de gordura de coco derretida
½ colher de chá de alho em pó
¾ de colher de chá de sal marinho

Modo de fazer:

1. Preaqueça o forno a 250°C. Corte as batatas doces pelo meio, no sentido do comprimento, e faça fatias longitudinais com um centímetro de espessura.

2. Coloque as batatas em uma assadeira. Regue com a gordura de coco. Adicione o alho em pó, ½ colher de chá de sal e misture bem. Asse as batatas até dourarem e ficarem ligeiramente crocantes – de 25 a 30 minutos. Polvilhe as batatas com o sal restante. Sirva acompanhando o Hambúrguer da Força sem pão (página 176).

Salada Niçoise de Atum

SERVE 4 PESSOAS

Ingredientes:

1 bom punhado de feijões verdes limpos
1 colher de chá de sal marinho
4 xícaras de rúcula
½ xícara de grão-de-bico enlatado escorrido e lavado
½ xícara de feijão-branco enlatado escorrido e lavado
2 tomates cortados em fatias longitudinais finas
¼ de xícara de fatias finas de pimentão vermelho assado
1 lata de atum em conserva em água e sal – escorrida
3 colheres de sopa de vinagre balsâmico
4 colheres de chá de mostarda de Dijon
1 ½ colheres de chá de mel
3 colheres de sopa de azeite de oliva extravirgem

Modo de fazer:

1. Em uma panela média, coloque dois centímetros de água no fundo e ponha para ferver. Instale a cesta do cozimento a vapor e adicione o feijão verde, polvilhando com ¼ de colher de chá de sal marinho. Tampe e reduza o fogo ao mínimo, deixando os feijões cozinharem até ficarem macios – entre 5 e 6 minutos. Quando tirar do vapor, lave os grãos em água fria para interromper o cozimento. Escorra e reserve.

2. Divida a rúcula, o grão-de-bico, o feijão-branco, os tomates e os pimentões vermelhos assados igualmente entre quatro tigelas rasas. Cubra cada porção com um quarto da lata de atum e arrume o feijão verde ao redor.

3. Para fazer o vinagrete, misture o vinagre balsâmico, a mostarda, o mel, o azeite e ½ colher de chá de sal em uma tigela pequena. Regue a salada com o molho e polvilhe cada porção com o sal restante.

Sopa caseira de frango com arroz

Serve 4 pessoas

Ingredientes:

- 1 cabeça de alho assado
- 2 cenouras médias descascadas e fatiadas em rodelas
- 2 talos de aipo cortados em fatias finas
- 2 ramos de tomilho fresco
- 2 colheres de sopa de azeite de oliva extravirgem
- 2 litros de caldo de galinha caseiro ou comprado pronto
- 1 xícara de arroz integral
- 1 colher de chá de sal – ou a gosto
- 2 xícaras de sobras de frango desfiado – carne branca e escura

Modo de fazer:

1. Para assar o alho: corte uma cabeça de alho ao meio na horizontal, esfregue-o em um toque de azeite e asse no forno a 250°C por cerca de 1 hora até que fique macio. Reserve.

2. Coloque uma panela grande em fogo médio e refogue no azeite a cenoura e o aipo com o tomilho até ficarem perfumados – aproximadamente cinco minutos. Adicione os dentes de alho assados. Delicadamente, despeje o caldo de galinha na panela e cozinhe por mais uns 15 minutos.

3. Adicione o arroz e cozinhe em fogo médio-baixo por dez minutos.

4. Adicione sal a gosto e o frango já desfiado. Cozinhe até que o arroz e as cenouras estejam macios – de três minutos a mais.

Posfácio

POSFÁCIO

Falei bastante, nesse livro, sobre mudança – como alguns simples ajustes de dieta fizeram enorme diferença na minha carreira e na minha vida. Se você fizer mudanças positivas que tenham metade do impacto que tiveram sobre mim e sobre minha vida, desconfio que ficará muito mais feliz, e eu também estarei satisfeito por você. Mas há ainda algo que eu gostaria de lhe falar – um ponto crucial que acho que tem sido deixado de lado pela gritaria motivacional que ouvimos por todo lado.

Quando estou em pé na quadra de tênis, com um jogador do outro lado da rede – seja Nadal ou Federer, por exemplo –, eu o vejo batendo a bola no chão antes de dar um saque e visualizo a bola vindo em minha direção. A bola pode fazer uma dúzia de outras trajetórias, todas caindo em um pequeno ponto da quadra, tornando aquele saque difícil e malicioso. Mas como já vi aquelas linhas e ângulos milhares de vezes em partidas reais, estou pronto. Sei como reagir porque estou preparado.

É isso o que meu treino interminável me oferece. Ele me prepara para o que quer que aconteça em quadra. Isso elimina as possibilidades e as substitui pelas probabilidades. Quanto mais você treina, mais cenários e experiências obtém, deixando menos espaço para surpresas. No final de uma longa sessão de treinamento, meu técnico coloca uma pequena garrafa plástica de água no chão da quadra e me faz sacar até acertá-la direto cinco vezes, sabendo que estou com pouca energia de reserva e que meu foco está falhando... é disso que estou falando. É isso o que me separa de outros jogadores em uma partida de quatro horas.

Agora, você se lembra do início desse livro, onde descrevi como me sentia durante as partidas mais difíceis há apenas uns dois anos? Lembra como eu entrava em colapso – físico e mental – justamente nas disputas com três ou quatro horas?

Fisicamente, não conseguia competir. Mentalmente, eu achava que não pertencia ao grupo dos melhores jogadores do mundo. Mas, então, eis que faço algumas mudanças que transformam tudo. De repente, mesmo nas partidas mais longas, eu posso *ver*. Tenho clareza mental para ver as trajetórias que a bola do saque pode fazer a 225 quilômetros por hora diretamente para a minha raquete. Sei que posso responder a tudo e sou capaz de colocar a bola onde eu preciso. Sinto a energia vibrando nos meus músculos. Tenho a explosão extra necessária para derrotar o melhor do mundo. Para *ser* o melhor do mundo.

Mas entenda, isso não é mágica: não foi a energia, nem a clareza e nem a força renovada o que possibilitou que eu me tornasse o tenista número 1 do mundo. Foi a minha preparação. Meu treinamento. A ética no trabalho sempre esteve lá, começando pelo garoto de seis anos de idade com uma maleta de tênis perfeitamente arrumada. Mas, de repente, houve um fator X, a mudança na dieta que permitiu ao meu corpo desempenhar melhor sem alergias e sem letargia.

Como isso se aplica a você?

É simples. Se você fizer essas mudanças dietéticas, pode ser que se sinta melhor. Talvez perca peso. Você vai parecer mais saudável. A energia vai chegar ao auge. É possível que os outros percebam e parabenizem você. Você poderá até atrair olhares de admiração de desconhecidos atraentes.

São ótimos benefícios. Mas, na verdade, além de dar uma lustrada temporária no ego e fazer você sorrir, o que tudo isso faz por você?

Nada.

Absolutamente, nada.

Acontece que a perda de peso e a energia interminável não são objetivos finais. Por mais que você considere isso como meta, eu prefiro ver do meu jeito: isso tudo é uma porta de entrada.

Os verdadeiros objetivos estão além da porta de entrada.

Sua meta deve estar relacionada ao seu desempenho – na carreira, no esporte, nos relacionamentos. Talvez você queira ser promovido. Então, melhorar a saúde vai possibilitar que você desempenhe melhor por mais tempo diariamente. Quem sabe quer começar o negócio dos seus sonhos e agora sente a energia e o foco que nunca teve até um ano atrás. Talvez queira vencer uma final de duplas em um torneio local ou um jogo de basquetebol ou chegar ao final de uma prova de triatlo. Pode ser também que deseje voltar a estar mais próximo de seu cônjuge ou encontrar uma nova esposa ou marido.

Portanto, aqui está o segredo do meu sucesso e o meu desafio para você e espero que compreenda: se, de repente, você se sentir melhor, estiver com a aparência melhor e desempenhando melhor... estará preparado para isso? Saberá capitalizar a conquista? Usará tudo isso para ganhar impulso e atingir as metas verdadeiras?

Serei honesto – nunca imaginei que meus novos hábitos alimentares poderiam me fazer sentir tão bem. Tão capaz e potente. Sempre treinei para ser o melhor, mas meu corpo não me deixava chegar lá. Então, repentinamente, o corpo ajuda. Quando a mudança aconteceu, eu me senti fantástico, sabia que aquilo me levaria exatamente onde eu queria chegar: tornar-me o número 1 do mundo. Vencer e continuar vencendo.

Claro, eu perdi peso. Evidente, eu me sentia bem. Mas isso não era o suficiente para mim. E espero que também não seja o bastante para você.

Faça as mudanças. Desfrute o processo. Mas não permita que as mudanças sejam sua meta. Faça com que sejam a porta de entrada para objetivos maiores e melhores.

Esteja pronto.

Apêndice

O guia da boa comida

"Como evitar o glúten? Ele está em tudo!"

Essa é a observação que costumo escutar quando conto para as pessoas que sigo uma dieta sem glúten. Elas dizem o mesmo em relação aos derivados do leite e ao açúcar refinado.

E, quer saber, elas estão certas. Quando você come alimentos que vêm em caixas ou saquinhos, é quase impossível conseguir evitar os aditivos que você não deseja ingerir. A chave é eliminar toda a comida embalada e processada e, além disso, verificar cuidadosamente os rótulos.

Mas estar cercado por comidas ruins não é o mesmo que ser forçado a comê-las. Sou capaz de evitar o glúten, os alimentos açucarados e os laticínios *com facilidade*. Não importa que estejam "por toda parte" porque as outras comidas – saudáveis, deliciosas e variadas – também estão em todos os lugares.

Essa é a questão nesta seção do livro. Se você quiser experimentar uma dieta livre de glúten ou de derivados do leite ou sem açúcar – ou todas as três ao mesmo tempo –, entendo que sua primeira pergunta seja: "E o que resta para comer?"

A resposta é... centenas de alimentos com milhares de combinações. Todas saudáveis.

Esse apêndice é a prova de que a dieta sem glúten é mais fácil do que você acha. Aprendi muito sobre alimentação nos últimos anos. Não apenas sobre as comidas que me sabotavam, mas especialmente sobre aquelas que me ajudam a vencer dia após dia. Vou lhe oferecer informações específicas sobre meus alimentos favoritos: o que tem neles e por que são meus prediletos (sim, principalmente porque são muito saborosos). E essa nem é uma lista completa!

Proteína

Gosto de frango, peru e todos os diferentes tipos de peixe. Como um deles, pelo menos, uma ou duas vezes por dia.

Ovos

Não como muitos ovos porque prefiro não ingerir proteína pela manhã. Mas, no final do dia, os ovos podem ser uma refeição rápida e saudável, quando você não estiver com vontade de cozinhar carne. O ovo já vem embalado com nutrientes (para começar, proteína e selênio, além de apenas 70 a 80 calorias por ovo grande) e é inacreditavelmente versátil. Uma omelete torna fácil comer mais vegetais.

Frango (carne branca)

Um peito de frango sem osso e sem pele com uns 150 g de carne branca contém 24 gramas de proteína limpa e boa, vitaminas do complexo B para dar energia e aproximadamente 125 calorias. Sempre procuro comer frango caipira porque essas aves têm mais gordura ômega 3 e são mais saborosas do que aquelas criadas em granjas. Quando comprar frango, verifique se houve adição de sal. Alguns produtores injetam soluções no peito de frango para deixar a carne mais úmida e com sabor. Um peito com 150 gramas tem, em geral, 50 a 70 miligramas de sódio, enquanto uma unidade com injeção "de sabor" pode chegar a 500 miligramas. *Leia o rótulo das embalagens.*

Peru (carne branca)

Nutricionalmente, o peito de peru é similar ao de frango: um pedaço com 150 gramas tem 28 gramas de proteína e 125 calorias e muitas vitaminas do complexo B.

Peru (moído)

Tenha certeza de ler antes o rótulo e dê preferência à carne branca. A maioria dos pacotes de peru moído é uma mistura de carne branca e escura, o que aumenta a ingestão de calorias e reduz a de proteína por porção de 150 gramas.

Filé bovino

Não sou apaixonado por carne vermelha porque, para mim, é muito pesada, mas gosto de comer um bom bife de vez em quando. A carne bovina tem muita proteína, obviamente, mas também gorduras monoinsaturadas, zinco, vitaminas do complexo B e ferro. O gado alimentado em pastagens verdes tem uma taxa bem mais alta de gorduras ômega 3 do que de ômega 6 (cerca de 1:3 contra 1:20 do gado de estábulo alimentado com milho). Altos níveis de gordura ômega 6 causam inflamação e ninguém precisa disso.

Ah, e outro ponto a observar: geralmente, eu como uma porção de 150 gramas por refeição o que me dá 250 calorias. Se você pedir um bife em um restaurante, perceba que a porção servida será bem maior do que isso. Eu já vi cardápios com pratos ridículos de até 1,3 kg de carne – minha porção é de 150 gramas! Todo mundo é diferente, mas sei que, se comer mais do que 300 gramas de filé, vou me sentir horrível por horas.

Salmão selvagem do Pacífico Norte

Evite sempre o salmão criado em fazendas (ou o do "Atlântico"). É bem mais pobre em nutrientes do que o selvagem e, além disso, é alimentado com pigmentos artificiais para deixar sua carne com uma cor alaranjada mais atraente. Eca! Mas uma bela porção de salmão é fantástica para você: muitas vitaminas do complexo B e selênio, além de 24 gramas de proteína e 175 calorias por porção de 150 gramas. E também é rico em gorduras boas para o coração que elevam a taxa do colesterol HDL.

Atum albacora e outros peixes

O atum tem uma dose mais alta de proteína por caloria do que a maioria dos peixes – 28 gramas para apenas 125 calorias – e também de ômega 3. Quando estiver fazendo compras na peixaria, observe que a carne do atum nunca é naturalmente marrom. Tem que estar vermelho vivo. Outros peixes bastante saudáveis: sardinha, cavala, truta-arco-íris e salmonete do ártico.

Frutos do mar

Camarão, lagosta e mexilhão têm alto grau de proteínas e baixa caloria. Só não os prepare mergulhados em manteiga.

Vegetais

Sim, os vegetais são a fonte primária natural de praticamente todos os nutrientes de que o ser humano necessita: vitaminas, minerais, fibras e antioxidantes. Mas nem todos são iguais. Alguns – especialmente as raízes e os que têm safra no inverno – têm mais amido e carboidratos. Como tento comer a maior parte dos meus carboidratos durante o dia para me fornecer o máximo de energia, em geral, evito comer os vegetais com mais amido no jantar, quando priorizo a proteína. Mas os vegetais folhosos e de talo são o que chamo de "neutros". Como não têm muitos carboidratos, eu os como a qualquer hora do dia em todas as refeições.

Vegetais neutros

Todos tendem a ter muitas fibras e vitaminas A, B, C e K e poucas calorias, então, eu os como a qualquer hora do dia: aspargo, alcachofra, couve-de-bruxelas, repolho, brócolis, couve-flor, ruibarbo, folhas de mostarda, acelga, espinafre, folhas de dente-de-leão, couve, agrião, rúcula, abobrinha amarela, abobrinha verde, pimentões vermelhos (que são bem mais nutritivos do que os verdes) e todos os tipos de alfaces – romana, crespa, lisa, americana.

Vegetais ricos em carboidrato

Esses eu como somente durante o dia, quando estou buscando energia. Embora tenham muitas fibras e vitaminas, especialmente vitamina A, são muito ricos em carboidrato para o meu jantar: milho, batata, cebola, batata-doce, mandioquinha (batata-baroa), cenoura, beterraba, ervilha, nabo e abóbora de todos os tipos.

Azeitonas

São um ótimo alimento com função anti-inflamatória e acrescentam um toque de sabor especial às saladas.

Feijões e legumes

Um alerta: exagerar na porção pode tornar sua digestão mais "musical" do que você gostaria. E tente evitar os feijões enlatados, porque têm mais sódio. Compre os feijões secos e deixe de molho durante a noite: feijões-pretos, edamame (soja verde), grão-de-bico (*homus*), favas, feijões-verdes, ervilhas, lentilhas, além dos feijões-fradinho, roxinho, branco e manteiga.

Frutas

Seu corpo precisa do açúcar saudável – frutose – que vem das frutas. Eu como muita fruta durante o dia para me dar energia, mas raramente à noite; de novo, no jantar, digo ao meu corpo para processar proteína e não quero confundi-lo oferecendo muita caloria de carboidrato.

Frutas com alto teor de açúcar

Têm sabor delicioso e são os alimentos com mais densidade nutricional. Basicamente, a tradicional ideia norte-americana de "comer uma maçã por dia" é supor que você já recebeu sua dose de açúcar para o resto do dia. As frutas com alto teor de açúcar incluem: maçã, pera, uva, cereja, pêssego, nectarina, damasco, ameixa, morango, framboesa, amora e mirtilo. Um ponto que você deve observar nessas frutas é que todas elas têm casca comestível. Isso faz com que tenham muito pesticida. Por isso, tente comer a versão orgânica sempre que possível.

Banana, figo e papaia

Todos são ricos em nutrientes, e a banana e o figo estão entre as melhores fontes de potássio, o que ajuda a prevenir doenças cardíacas e baixar a pressão sanguínea. Mas são também muito ricos em açúcar, por isso, coma-os com moderação.

Cítricos e outras frutas ácidas

Como, em geral, não comemos as cascas, não há necessidade de comprar a versão orgânica de laranja, toranja, limão, lima, abacaxi, manga, goiaba, maracujá, kiwi e romãs. Fique atento porque todas essas frutas são ricas em nutrientes (especialmente, vitamina C) *e em calorias*. E evite os sucos – o suco de laranja tem muito mais calorias do que uma unidade da fruta e nada de fibras.

Frutas desidratadas

Sou bastante cuidadoso com as frutas desidratadas: uvas-passas, damascos secos, tâmaras e ameixas. Por um lado, são excelente fonte de nutrição. Mas também contêm uma alta dose de açúcar. Coma-as com moderação e utilize-as como energia portátil quando estiver em atividade física.

Tomates

Sim, os tomates são frutas. Tenho uma pequena sensibilidade a eles, mas ainda gosto de consumi-los ocasionalmente desde que sejam frescos e não processados (por exemplo, só como molhos feitos com tomates frescos). O licopeno, o fitonutriente que dá a cor vermelha aos tomates, ajuda a eliminar os radicais livres que envelhecem a pele por causa da exposição aos raios ultravioletas.

Abacate

Os abacates talvez sejam minha comida favorita. Muito sabor, muita fibra e muitos nutrientes. E você pode fazer muitas receitas com abacate fresco. É muito rico em gorduras saudáveis monoinsaturadas.

Grãos para substituir o trigo

Muitos supermercados contam atualmente com uma seção de alimentos sem glúten, mas, claro, você ainda pode comprar macarrão, bolacha e outros produtos desse tipo pela internet. Hoje em dia, existem muitos grãos ótimos como alternativa para o trigo. Se você nunca os experimentou, eu sugiro que você procure comprá-los para provar. Eu como bastante quinoa, trigo-sarraceno, arroz integral e aveia. A quinoa e o trigo sarraceno fazem um delicioso macarrão sem glúten.

Quinoa

O grão sul-americano quinoa tem cerca de duas vezes mais fibra e proteína do que o arroz integral. Além disso, sua proteína consiste de uma cadeia completa de aminoácidos essenciais, então, ajuda a construir os músculos melhor do que os outros grãos. Toda essa proteína e fibra – em conjunto com muita gordura saudável e, comparativamente, pouco carboidrato – rebaixa a resposta à insulina. A quinoa tem ainda um ótimo sabor e cozinha em quinze minutos.

Aveia (instantânea, em flocos ou grãos)

O mingau instantâneo (fica pronto em um minuto) é composto basicamente de flocos triturados para tornar o cozimento mais rápido. A aveia em flocos demora uns cinco minutos para cozinhar, e a em grãos leva cerca de meia hora. A aveia é uma das maneiras mais fáceis de acrescentar fibras à sua alimentação e também contém muita proteína. Gosto de comer em grãos porque não eleva tanto o açúcar no sangue quanto as variedades mais processadas. Fique atento às marcas vendidas nos supermercados com a adição de muito açúcar. É melhor comer aveia pura com algumas frutas e castanhas.

Arroz integral

O arroz integral é o que costumo chamar de comida de reserva. Há grãos dos quais gosto mais pelo sabor e pelos nutrientes, mas o arroz integral está disponível em todos os lugares e funciona bem quando meus favoritos (como quinoa e macarrão sem glúten) não estão disponíveis. Oferece uma boa dose de fibras e minerais e é um bom acompanhamento para outros alimentos (tenho certeza de que não preciso lhe dizer para substituir o arroz branco pelo arroz integral).

Trigo-sarraceno

Adoro macarrão de trigo-sarraceno. E o trigo sarraceno sozinho também é muito bom. Trinta gramas contêm três gramas de fibra e quatro de proteína, além de minerais como cobre, magnésio e manganês. A maioria dos grãos sem glúten se tornou constante na minha dieta, com o trigo sarraceno em primeiro lugar.

Painço

É um grão sem glúten originário da Ásia que, nutricionalmente, é comparável ao trigo: trinta gramas contêm 2 gramas de fibras, 3 gramas de proteína, além de vitaminas do complexo B, cálcio e ferro. Já vi o painço ser usado como substituto do trigo em *muffins* de aveia, cereais e até recheando tomates.

Granola

É uma mistura de flocos de aveia, frutas desidratadas e castanhas, que foi criada originalmente na Suíça. Eu uso diariamente como um dos ingredientes da minha Tigela da Força. Uma xícara tem 300 calorias, mas esse não é o ponto: a granola é a base da minha dieta matinal. Ela oferece uma enorme recompensa em fibras e proteínas, além de vitaminas do complexo B, vitamina E, ferro e muito mais.

Macarrão Shirataki

Não é um grão, mas acho que vai bem nessa seção. O Shirataki é um macarrão (*noodle*) originário da Ásia com pouco ou nenhum carboidrato. É transparente e feito com a raiz de uma planta asiática chamada *konjac yam* (tipo de inhame). Os pesquisadores tailandeses descobriram que apenas 1 grama tem o poder de reduzir significativamente o açúcar na corrente sanguínea. Não tem gosto de nada, mas o shirataki absorve o sabor dos alimentos que você usar para prepará-lo.

Amaranto

O amaranto é um dos grãos mais poderosos de uma nutrição sábia. Não tem glúten e, além disso, é mais rico em fibras e proteínas do que o trigo e o arroz integral. Tem muitas vitaminas e as pesquisas mostram que esse grão ajuda a baixar a pressão sanguínea e a reduzir o colesterol. Também é importante para criar músculos, pois é um dos poucos grãos que contém o conjunto completo de proteínas, ou seja, os oito aminoácidos essenciais.

Cereal teff

O *teff* vem da Etiópia. Existem variedades que vão da cor marfim até a marrom. Eu acho a marrom mais saborosa – adocicada e me lembram castanhas. Uma xícara tem 6 gramas de fibra, 10 gramas de proteína, além de uma porção de minerais. Também é fácil de preparar: coloque 1 xícara em 3 xícaras de água e deixe ferver por uns 20 minutos. Para temperar, use suas ervas preferidas – o *teff* vai bem com quase tudo.

Espaguete squash

Na verdade, um vegetal, mas, quando você corta ao meio, a polpa é fibrosa como se fossem fios de espaguete que, afinal, podem ser usados como alternativa ao macarrão sem glúten. Utilize como acompanhamento de outros alimentos, porque o espaguete squash não é muito nutritivo.

Castanhas e sementes

Esses dois alimentos mantêm meu corpo abastecido e cheio de energia ao longo dos dias de treinamento. Sempre que possível, prefiro consumir castanhas e sementes ao natural e não tostadas. É fácil controlar a quantidade (uma mão cheia é um ótimo lanche) e as castanhas e sementes oferecem proteínas sem deixar o corpo pesado, além de fibras e gorduras monoinsaturadas. Adicione amêndoas, pistaches, castanhas de caju, nozes, nozes pecã, castanhas-do-pará, macadâmias, amendoins ou sementes de linhaça, girassol, abóbora, gergelim, cânhamo ou chia em suas saladas, cereais ou até mesmo nos smoothies.

Óleos e gorduras saudáveis

Sem gordura, seu corpo não consegue absorver boa parte das vitaminas. Eu uso óleos com moderação. Aqui estão os que realmente consumo.

Azeite de oliva

Este é o campeão. Você já deve saber que o azeite de oliva é uma gordura saudável. A variedade extravirgem tem um sabor robusto e é mais caro, então, as pessoas, em geral, o utilizam para molhos, vegetais e maioneses (embora, todo mundo adore mergulhar o pão em azeite de oliva, eu tive que abrir mão disso). O azeite mais leve é ótimo para cozinhar.

Óleo de canola

É ótimo para fritar e refogar se o azeite de oliva não for uma opção. O óleo de canola resiste a temperaturas relativamente altas e seu sabor neutro não domina em nenhuma receita. Fique atento: não confunda canola com o "óleo vegetal" genérico que é mais barato e, geralmente, é feito de soja ou milho. Esses óleos têm alto grau de ácidos graxos ômega 6. Essas gorduras poli-insaturadas não são ruins quando equilibradas com os ácidos graxos ômega 3, como acontece nos peixes – e no óleo de canola. Basicamente, o ômega 6 pode causar inflamação no seu corpo, enquanto o ômega 3 tem propriedades anti-inflamatórias, então, você deve balanceá-las o máximo possível.

Óleo de coco

Algumas pessoas ficam assustadas com a gordura saturada do óleo de coco, achando que isso eleva o colesterol. E eleva, mas o ácido láurico presente no óleo de coco aumenta o HDL (o colesterol bom). Além disso, alguns estudos já comprovaram que o óleo de coco estimula o sistema imunológico, o que também ajuda o corpo a usar a insulina de maneira mais eficiente. O "óleo" não se parece com os comuns já que é pastoso como as margarinas (sem as gorduras trans). Já vi pessoas colocarem uma colher de chá no café; o óleo de coco também vai bem em batidas e como substituto da margarina para fazer pães.

Óleo de linhaça

O óleo de linhaça é rico em ácido alfalinolênico, que é anti-inflamatório e pode ajudar a reduzir o colesterol. Gosto dele porque é mais saudável do que a maioria dos óleos disponíveis, e nossos corpos não podem produzir os ácidos graxos essenciais presentes no óleo de linhaça.

Manteiga de castanhas

A manteiga de amendoim é muito saudável desde que haja nela apenas um ingrediente: amendoim. Portanto, verifique o rótulo para ter certeza de que não há adição de açúcar, sal ou óleo de palma (azeite de dendê). Outras manteigas de castanhas, especialmente a manteiga de amêndoas, são escolhas ainda mais saudáveis.

Óleos de abacate, nozes e avelãs

Perfeitos para fazer molhos para saladas ou misturar em outras comidas, pois adicionam paladar e um toque de gorduras monoinsaturadas.

Substitutos dos derivados do leite

Tenha cuidado com os "cremes não lácteos" e outras elaborações químicas; costumam conter altas doses de açúcar e gorduras não saudáveis. Se você for cortar os laticínios, veja essas alternativas ao leite, iogurte e sorvete: leite de amêndoas, leite de coco, leite de arroz e leite de avelã. Geralmente, eu evito o leite de soja porque sua alta concentração de isolados proteicos de soja tem propriedades do estrogênio – em outras palavras, é ruim para seus músculos e pode levar ao armazenamento de gordura.

Este livro foi impresso pela gráfica Assahi em papel *Lux Cream* 70g